Ma sécurité, ma liberté

Catalogage avant publication de Bibliothèque et Archives nationales du Québec et Bibliothèque et Archives Canada

Cantin, Marcelin, 1972-
Ma sécurité, ma liberté
(Collection Famille)
ISBN 978-2-7640-2248-1
1. Autodéfense. I. Titre. II. Collection: Collection Famille (Éditions Québec-Livres).

GV1111.C36 2014 613.6'6 C2013-942521-7

Groupe Librex inc.
Une société de Québecor Média
1055, boul. René-Lévesque Est, bureau 201
Montréal (Québec) H2L 4S5
Tél.: 514 270-1746

Dépôt légal : 2014
Bibliothèque et Archives nationales du Québec

Pour en savoir davantage sur nos publications, visitez notre site : **www.quebec-livres.com**

Éditeur : Jacques Simard
Conception de la couverture : Bernard Langlois
Illustration de la couverture : Thinkstock/Istockphoto
Conception graphique : Sandra Laforest
Infographie : Claude Bergeron

Imprimé au Canada

Gouvernement du Québec – Programme de crédit d'impôt pour l'édition de livres – Gestion SODEC.

L'Éditeur bénéficie du soutien de la Société de développement des entreprises culturelles du Québec pour son programme d'édition.

Nous reconnaissons l'aide financière du gouvernement du Canada par l'entremise du Fonds du livre du Canada pour nos activités d'édition.

DISTRIBUTEURS EXCLUSIFS :

- Pour le Canada et les États-Unis:
  MESSAGERIES ADP*
  2315, rue de la Province
  Longueuil (Québec) J4G 1G4
  Tél.: 450 640-1237
  Télécopieur: 450 674-6237
  * une division du Groupe Sogides inc., filiale du Groupe Livre Québecor Média inc.

- Pour la France et les autres pays:
  INTERFORUM editis
  Immeuble Paryseine, 3, Allée de la Seine
  94854 Ivry CEDEX
  Tél.: 33 (0) 4 49 59 11 56/91
  Télécopieur: 33 (0) 1 49 59 11 33

  Service commande France métropolitaine
  Tél.: 33 (0) 2 38 32 71 00
  Télécopieur: 33 (0) 2 38 32 71 28
  Internet: www.interforum.fr

  Service commandes Export – DOM-TOM
  Télécopieur: 33 (0) 2 38 32 78 86
  Internet: www.interforum.fr
  Courriel: cdes-export@interforum.fr

- Pour la Suisse:
  INTERFORUM editis SUISSE
  Case postale 69 – CH 1701 Fribourg – Suisse
  Tél.: 41 (0) 26 460 80 60
  Télécopieur: 41 (0) 26 460 80 68
  Internet: www.interforumsuisse.ch
  Courriel: office@interforumsuisse.ch

  Distributeur: OLF S.A.
  ZI. 3, Corminboeuf
  Case postale 1061 – CH 1701 Fribourg – Suisse

  Commandes: Tél.: 41 (0) 26 467 53 33
  Télécopieur: 41 (0) 26 467 54 66
  Internet: www.olf.ch
  Courriel: information@olf.ch

- Pour la Belgique et le Luxembourg:
  INTERFORUM BENELUX S.A.
  Fond Jean-Pâques, 6
  B-1348 Louvain-La-Neuve
  Tél.: 00 32 10 42 03 20
  Télécopieur: 00 32 10 41 20 24

Marcelin Cantin

Ma sécurité, ma liberté

La prévention d'agression

LES ÉDITIONS
Québec-Livres
Une société de Québecor Média

Avant-propos

La prévention des agressions a toujours été d'actualité et l'est encore aujourd'hui. À n'importe quelle étape de notre vie – enfance, adolescence, vie adulte ou âge d'or –, nous pouvons devenir la cible d'un agresseur. Comment pouvons-nous éviter ces situations et protéger efficacement les personnes qui nous sont chères contre ces agressions ? Cet ouvrage est un guide complet et détaillé qui vous proposera une démarche préventive éprouvée.

Depuis maintenant vingt ans, plus de 75 000 personnes ont suivi la formation offerte par le programme de prévention d'agression avec simulation ASADefense (asadefense.com). Notre programme a pour objectif de favoriser la prévention des agressions de différentes manières : en vous apprenant à verbaliser vos réactions et vos émotions lors d'une agression, en vous sensibilisant à la prévention, et en vous enseignant la structure d'une défense efficace.

Après avoir lu ce livre, vous pourrez appliquer toutes les notions apprises sur une base quotidienne. De plus, vous bénéficierez d'une quiétude d'esprit, d'une plus grande estime personnelle et d'une nouvelle confiance en vous. Ces trois éléments rassemblés vous permettront de vous sentir libre et en sécurité.

Ma sécurité, ma liberté.

Bonne lecture !

Introduction

De nos jours, l'autodéfense est accessible à tous. Beaucoup de gens ont eu la chance d'en profiter à différents degrés. Mais, le nombre d'agressions étant à la hausse, une question simple nous vient à l'esprit : est-ce que l'autodéfense est efficace ?

L'autodéfense désigne, au sens premier du terme, une réponse physique à un acte physique. Il ne faut toutefois pas négliger l'aspect préventif, qui est tout aussi important que la défense elle-même. Plusieurs ouvrages traitent de l'autodéfense, mais leurs auteurs omettent trop souvent de mettre l'accent sur la démarche préventive à adopter afin d'éviter le plus possible les agressions.

En effet, il faut idéalement éviter toute confrontation physique. Et ce n'est que par la prévention et par une bonne réponse verbale qu'il est possible d'y arriver. Cet ouvrage est donc principalement axé sur la démarche préventive à suivre, fruit de nombreuses analyses, recherches et années d'expérience dans le domaine.

Au fil des pages suivantes, il vous sera possible de prendre connaissance des étapes de cette démarche qui vous permettront, si elles sont bien appliquées, de réduire considérablement le risque de subir une agression.

Par contre, il faut être conscient que si la confrontation ne peut être évitée, il est primordial d'y être bien préparé. Tout au long de notre enseignement portant sur la prévention des agressions avec simulation, il nous a été possible de mettre sur pied une méthode de défense à la fois simple et efficace. Celle-ci est essentiellement basée sur la création de circonstances favorables à la fuite, et non sur la maîtrise totale de l'agresseur.

Agresseurs et victimes

Le danger est présent et toujours grandissant dans nos sociétés : il est essentiel d'en prendre conscience.

Les agresseurs peuvent avoir différentes raisons d'agir et faire subir divers types de violence à leurs victimes. Mais ils recherchent toujours celles qui leur opposeront le moins de résistance possible. Par exemple, les gens souffrant d'insécurité sont souvent sujets à la panique, ce qui signifie qu'ils ne pourront réagir avec efficacité puisqu'ils figeront trop facilement. Les agresseurs sont capables de détecter ce trait de personnalité.

Quant aux victimes, il peut s'agir de monsieur et madame Tout-le-Monde. Il ne faut surtout pas penser que cela n'arrive qu'aux autres. Généralement, les personnes les plus vulnérables aux agressions sont les femmes, les enfants, les personnes âgées ou handicapées et les gens encombrés de bagages ou de paquets, puisqu'ils peuvent difficilement réagir avec rapidité ou se sauver. Toutefois, il est clair que parmi les victimes potentielles des agresseurs, les deux premiers groupes – les femmes et les enfants – sont particulièrement touchés et représentés dans les histoires de violence.

L'agresseur : portrait type et motifs

Le portrait type de l'agresseur peut être multiple et les raisons qui le poussent à agir peuvent être variées. Mais si l'on se réfère aux nombreux articles de journaux portant sur l'actualité, on constate que les mobiles des hommes qui attaquent sont souvent les mêmes : mécontentement quant à leur personnalité, à leur classe sociale, à leur vie sentimentale, à leur apparence physique ainsi qu'à leur vie professionnelle, frustrations, déceptions, etc. En commettant des actes de violence contre les femmes, les hommes, les personnes âgées ou les enfants, les agresseurs ont l'impression de se mettre en valeur, d'exercer un pouvoir, de contrôler et de dominer l'autre. Ces individus retirent du plaisir à soumettre leur victime ; ils ressentent un sentiment de puissance et de supériorité.

Ces frustrations ne sont toutefois pas les seuls facteurs en cause. Selon Statistique Canada, les personnes ayant été témoins d'actes de violence durant leur enfance sont plus enclines à développer ce type de conduite. Selon la même enquête, les hommes qui ont eu un père violent sont trois fois plus à risque d'être eux aussi des hommes violents. De plus, dans 40 % des cas de violence, l'agresseur avait consommé de l'alcool ou des drogues. D'ailleurs, un individu qui boit de l'alcool quatre fois par semaine expose son partenaire à trois fois plus de violence que quelqu'un qui n'en prend pas.

Enfin, il faut noter qu'un agresseur peut provenir de n'importe quelle classe sociale, culture ou religion, et que ses origines, son groupe d'âge et son état civil peuvent être divers.

Les différentes formes de violence

Quatre formes de violence peuvent être exercées sur les victimes par les agresseurs :

- *La violence psychologique* consiste à dénigrer une personne par des paroles visant à atteindre son intégrité physique ou morale. C'est la forme de violence la plus insidieuse. En maintenant un climat de menace, l'agresseur assure son contrôle. La victime craindra d'être frappée, de se voir enlever ses enfants, de se faire couper les vivres par son conjoint, etc.
- *La violence verbale* consiste à intimider une personne en recourant à des menaces. L'agresseur emploie à son endroit un langage ordurier et dégradant dans le but de la dévaloriser, de la harceler ou de l'isoler. La violence verbale, c'est traiter l'autre avec un mépris extrême.
- *La violence physique* consiste à perpétrer une agression physique sur une personne dans le but de lui faire mal physiquement. C'est la forme de violence la plus évidente.
- *La violence sexuelle* consiste à obliger une personne, par la peur ou par la force, à avoir des relations sexuelles non désirées.

Pour la victime, la défense à adopter dépendra du type de violence exercé ; elle doit être adaptée à la situation. Il s'agit d'être préparé en conséquence et de savoir quoi faire dans chaque circonstance. Lorsque vous serez impliqué dans l'une ou l'autre de ces situations, vous n'aurez qu'à mettre en application la démarche préventive expliquée dans ce livre, après avoir préalablement pris conscience de l'ampleur du danger potentiel. Pour évaluer ce danger, vous devez absolument connaître l'intention première de votre agresseur, de manière à réagir le plus adéquatement possible et à vous adapter à tout changement de situation. Par exemple, si vous sentez que cette intention est le vol, vous ne devez en aucun cas risquer d'être blessé en résistant. Vous devez tout simplement donner à votre agresseur ce qu'il veut et prendre la fuite, car votre vie n'a pas de prix.

Il est donc important de déterminer s'il s'agit d'un vol ou encore d'une agression physique ou sexuelle, car la démarche préventive sera très différente dans chaque cas, et l'application d'une mauvaise tentative de défense pourrait représenter un danger pour vous.

La violence envers les femmes

Quelques chiffres

En 2013, Statistique Canada a publié une enquête intitulée *Mesure de la violence faite aux femmes : tendances statistiques.* L'organisme s'est appuyé sur le Code criminel canadien qui divise les actes de violence en deux catégories : les agressions physiques, définies comme allant des « menaces d'attaque imminente aux attaques causant des blessures graves », ainsi que les agressions sexuelles, « qui vont des attouchements sexuels importuns aux attaques sexuelles avec violence blessant grièvement la victime ».

L'étude met en évidence plusieurs faits saillants concernant la violence faite aux femmes. On y apprend d'abord que les cinq crimes perpétrés le plus souvent à leur égard sont les voies de fait simples (49 %), les menaces (13 %), les voies de fait majeures (10 %), l'agression sexuelle (7 %) et le harcèlement criminel (7 %).

Les résultats de cette enquête ont aussi démontré qu'en 2011, pour chaque tranche de 100 000 femmes, 1 207 Canadiennes avaient été victimes d'un acte criminel. Dans 83 % des cas, l'agresseur était un homme : un conjoint (45 %), un ami ou une connaissance (27 %), un étranger (16 %) ou un membre de la famille (12 %). Selon la même étude, les femmes plus jeunes, célibataires, dépendantes des drogues ou qui sortent en soirée sont plus à risque de subir des agressions.

D'autres chiffres sont également révélateurs :

- 27 % des femmes qui ont été victimes de violence ont dû recourir à des médicaments contre la dépression ou le stress.
- 83 % des femmes ont peur dans un stationnement lorsqu'elles doivent se rendre seules à leur voiture.
- 76 % ont peur lorsqu'elles attendent l'autobus la nuit.
- 60 % souffrent d'insécurité lorsqu'elles se promènent la nuit dans leur quartier.
- 39 % ne se sentent pas en sécurité lorsqu'elles sont seules le soir chez elles.
- Seulement 14 % des actes de violence sont rapportés à la police (6 % des cas signalés sont des agressions à caractère sexuel).
- L'agresseur fait face à des accusations dans seulement un tiers des cas rapportés.

La violence conjugale

Pour établir une relation stable avec quelqu'un, il faut idéalement posséder plusieurs points en commun. Dans la plupart des cas, l'homme[1] potentiellement violent s'adapte aux exigences de la femme parce qu'il a tellement peu confiance en lui qu'il a besoin de faire croire à sa Juliette qu'il est le Roméo de sa vie. Il y arrive en modifiant son comportement pour répondre davantage aux attentes de sa conjointe. Dès que l'homme violent aura le contrôle sur sa partenaire, il agira de façon à l'isoler pour l'avoir à lui seul. Il parlera en mal de ses amis et, peu à peu, la victime deviendra

1. Il arrive qu'une femme violente son conjoint, mais selon l'étude de Statistique Canada précédemment citée, la violence conjugale envers les femmes est quatre fois plus présente que chez les hommes. Par ailleurs, l'enquête rapporte que 51 % des femmes violentées par leur conjoint ont été blessées d'une façon quelconque.

dépendante de son «prince charmant». Une fois ces étapes franchies, l'homme commencera à apparaître sous son vrai jour.

Il critiquera tout d'abord la façon dont elle s'habille et se coiffe. Par la suite, il voudra se faire pardonner en se confondant en excuses. Il lui portera des attentions toutes particulières pour avoir davantage le contrôle sur elle et sur sa vie. Vous devez donc prévenir ce genre de situation en détectant tôt un homme potentiellement violent. Mais attention: ce n'est pas parce qu'un homme a l'un ou l'autre des comportements énumérés précédemment qu'il deviendra violent.

Si vous vivez ce type de situation et que vous ne prenez aucune mesure pour y remédier, vous risquez de voir votre conjoint violent passer par trois phases distinctes.

Première phase

L'homme vous critique, il hausse le ton pour des riens et il est très exigeant envers vous. Malgré tous vos efforts pour le satisfaire, il ne sera jamais comblé. Durant cette phase, les comportements violents sont uniquement de nature verbale.

Deuxième phase

Le conjoint utilise des paroles violentes pour ensuite passer aux bousculades et aux menaces. Généralement, durant cette phase, le conjoint violent ne frappera pas sa victime, mais se défoulera en lançant des objets ou en les frappant.

Troisième phase

Le conjoint violent peut vous rouer de coups (gifles, coups de poing) ou vous lancer des objets. N'oubliez pas qu'après des épisodes de violence, et ce, au cours des trois phases, l'homme devient troublé et se confond en excuses. Il peut même le faire en pleurant, en vous suppliant de lui pardonner et en promettant que cela ne se reproduira plus à l'avenir. Malheureusement, c'est faux.

En général, ces étapes sont successives et la gravité des actions s'accentue de jour en jour, pouvant même mener à l'homicide. C'est donc un cercle vicieux dont il faut se libérer le plus rapidement possible. Notez toutefois qu'il peut très bien arriver que le conjoint violent passe directement à la troisième phase avant les deux premières.

Il y a plusieurs raisons pour lesquelles une femme demeure avec un homme violent. La principale est la peur des menaces, dans le cas où elle manifesterait l'intention de le quitter, par exemple : « Si tu t'en vas, je te tue. » Il se peut aussi que la conjointe ne voie pas comment elle peut s'en sortir sans lui. Elle n'a plus confiance en elle, son estime est au plus bas, son conjoint la diminue continuellement : rien de son propre comportement et de son attitude ne lui plaît dorénavant. De plus, il lui dit à l'occasion des mots doux et gentils : « Je suis bien avec toi » ou « Tu es jolie, aujourd'hui ». Ces simples paroles sont tellement réconfortantes et gratifiantes qu'elle en oublie les vraies raisons qui pourraient motiver son départ. Elle retombe alors dans le cercle vicieux.

Trop souvent, la relation de couple se poursuit en raison des enfants. La femme pense au bien-être de sa famille et non au sien. Elle croit que c'est elle, le problème ; elle se culpabilise en se disant qu'elle est l'unique responsable. Elle n'ose en parler à personne et endure les souffrances qu'occasionne la vie avec un conjoint violent. Elle espère que la situation changera avec le temps. Ce n'est pas la solution ! Votre conjoint ne changera pas et vous n'avez pas à souffrir pour qu'il le fasse. Ce n'est pas en lui portant une attention particulière et en répondant à ses moindres caprices que vous le changerez. Au contraire, il serait préférable de passer à l'action en déposant une plainte pour qu'il puisse réaliser, par lui-même ou avec l'aide d'un spécialiste, qu'il a un problème, mais qu'il peut y remédier avec de la volonté. L'appel à la justice est le moment le plus pénible pour le couple, car, il faut le mentionner, généralement les deux partenaires ressentent de l'amour l'un pour l'autre.

Même si les supplications du conjoint sont des plus sincères, il faut en faire abstraction. Ce n'est pas facile, mais c'est le seul moyen de lui faire prendre conscience de son problème. Par ailleurs, si la raison qui pousse une victime à rester avec un conjoint violent est la dépendance financière, lorsqu'une plainte est déposée, il existe des organismes qui soutiennent les personnes violentées et qui s'en occupent afin de faciliter leur éventuelle intégration sur le marché du travail. Informez-vous au sujet du CAVAC (Centre d'aide aux victimes d'actes criminels) ou de l'IVAC (Direction de l'indemnisation des victimes d'actes criminels) de votre région.

Quelques conseils pourraient vous être utiles si vous décidez de quitter un conjoint violent :

- Faites appel à un organisme qui aide les victimes d'actes criminels. Communiquez aussi avec le service de police de votre ville.
- Lors de votre départ, emportez avec vous les documents suivants : carte d'assurance maladie, carte d'assurance sociale, acte de naissance, contrats, passeport, factures, livrets de banque ou de caisse, objets personnels, clés de la maison ou de l'appartement, de l'argent, des vêtements, ainsi qu'une liste de numéros de téléphone d'organismes pouvant vous venir en aide si une urgence survient.
- Une fois partie, changez tous vos mots de passe le plus rapidement possible.

Courage, le futur sera bon pour vous. Vous venez de prendre la bonne décision.

En terminant, voici une liste de recommandations à appliquer si vous connaissez une femme victime de violence conjugale et que vous souhaitez l'aider :

- Croyez la victime.
- Faites preuve d'une écoute active.
- Écoutez-la sans porter de jugement.
- Appuyez-la et encouragez-la à parler.
- Faites-lui prendre conscience qu'elle n'est pas la seule victime : plusieurs autres personnes vivent une situation semblable.
- Faites-lui comprendre que le comportement de son conjoint est inacceptable et qu'elle ne pourra pas le changer.
- Faites-lui également comprendre que ce qu'elle vit n'est pas sa faute, elle n'a pas à se culpabiliser.
- Soutenez-la tout au long du processus.

Enfants en sécurité

Les quatre règles de sécurité

Les quatre règles de sécurité que voici ont été formulées par le programme de prévention d'agression ASADéfense. Les enfants ont tout avantage à le connaître par cœur pour savoir comment réagir lorsqu'un adulte s'approche de trop près (pour l'explication complète des quatre règles, voir à la page 86).

Première règle – Je dois toujours rester éloigné.
Deuxième règle – Je dois toujours regarder dans les yeux.
Troisième règle – Je dois toujours bouger.
Quatrième règle – Je ne dois pas trop parler.

L'enfant devrait également connaître la procédure pour demander de l'aide. Donnez-lui les indications suivantes.

Si un adulte lui pose une question, il doit répondre : « **Pourquoi ?** » Et si l'individu l'invite à le suivre, il doit lui dire **non** et aller se réfugier très rapidement dans un endroit sécuritaire. S'il est agressé, il doit crier « **Non !** » le plus fort possible. Dès qu'il se sera libéré, il devra courir le plus vite qu'il peut et ne s'arrêter que lorsqu'il sera en sécurité. Ensuite, il devra dire à un adulte : « **À l'aide ! Ce monsieur n'est pas mon père (Cette dame n'est pas ma mère)** », afin d'indiquer clairement que la personne qui est près de lui n'est pas un de ses parents.

L'intimidation

L'intimidation est une forme de violence physique et psychologique qui a pour but d'avoir le contrôle sur les victimes. Elle peut être directe (on harcèle, on taquine) ou indirecte (on répand des rumeurs).

Les causes

Pourquoi certaines personnes intimident-elles ? On pourrait croire que c'est uniquement pour contrôler leurs victimes, pour se sentir fortes. Mais en réalité, d'autres motifs expliquent ce comportement :

- Elles ont quelque chose à cacher.
- Elles ont déjà été victimes d'intimidation.
- Elles n'ont pas d'amis et ne savent pas comment s'en faire.
- Elles sont jalouses.
- Elles ont peur d'être harcelées, alors elles harcèlent les autres.
- Elles ne sont pas heureuses ; l'intimidation est pour elles un moyen d'obtenir de l'attention et de se venger des autres.

Les jeunes enfants intimident aussi, mais de façon inconsciente et irréfléchie. Si on leur demande d'examiner leur comportement, ils répondront qu'ils ne pensaient pas que cela dérangerait et blesserait à ce point. Pour eux, ce n'était qu'un jeu, un défi.

Votre enfant est victime d'intimidation

- Ne passez pas par quatre chemins et demandez-lui clairement ce qui se passe. Il ne se confiera probablement pas du premier coup, alors posez-lui des questions directes qui nécessitent une réponse plus longue que oui ou non.
- Mettez en place avec lui une stratégie qui pourra l'aider à faire face au harcèlement dont il est victime.

- Communiquez avec le personnel de l'école afin qu'il soit au courant de la présence dans l'établissement d'un élève qui intimide et afin qu'il puisse vous aider dans l'application de votre stratégie contre le harcèlement.
- Inscrivez votre enfant à des activités de groupe qui l'intéressent, pour qu'il rencontre de nouveaux amis et pour qu'il fasse partie de groupes sociaux positifs.

Votre enfant intimide

- Ne soyez pas sur la défensive ; essayez plutôt d'établir un climat où il est agréable de communiquer.
- Renseignez-vous sur le comportement de votre enfant à l'école à l'égard de sa victime. Discutez avec le personnel de l'école, la direction, la victime et, s'il le faut, avec les parents de l'enfant intimidé.
- Expliquez à votre enfant que ce comportement n'est pas toléré dans la famille et punissez-le sans violence si vous le voyez agir.
- Surveillez son comportement et ses activités. Gardez les mêmes règles s'il recommence à harceler et récompensez-le si ce comportement cesse.

Reconnaître les signes

- Certains signes indiquent si une personne peut être considérée comme un intimidateur. En voici quelques-uns.
- Elle ressent constamment le besoin de contrôler les autres.
- Elle veut être la plus forte et la plus intelligente.
- Elle justifie ses actes en affirmant que son comportement est provoqué par la victime.
- Elle ne ressent aucune culpabilité devant les tourments causés aux victimes.
- Elle ressent de la satisfaction après avoir harcelé sa victime.

Certains signes révèlent également si une personne est une victime potentielle d'intimidation. En voici quelques-uns.

- Elle manque de confiance.
- Elle a peu d'amis et est souvent solitaire.
- Elle est timide et peu extravertie.
- Elle est tranquille et renfermée.
- Elle se défend peu.

Réagir à l'intimidation

Il n'existe malheureusement pas de solution miracle pour faire face à l'intimidation, mais il est possible d'essayer quelques moyens. Les procédés d'intimidation sont nombreux et une méthode qui réussit à arrêter un intimidateur ne sera pas nécessairement efficace auprès d'un autre. Voici quelques conseils à donner à un enfant.

- Ignore un intimidateur ; c'est toujours un bon moyen de lui faire réaliser qu'il n'affecte pas son entourage. Tu n'as qu'à dire non ou encore à faire abstraction de ses commentaires.
- Reste en groupe à l'école, pour éviter d'avoir un face à face avec un agresseur.
- Fais attention à certains signes physiques. Se tenir le dos rond ou regarder par terre laisse l'impression qu'on est faible. De plus, la victime donne à l'intimidateur un sentiment de satisfaction lorsqu'elle pleure ou se fâche quand on l'embête.
- Ne prends en aucun cas les paroles d'un intimidateur au sérieux. La grande majorité de celles-ci sont fausses ; il essaie simplement de t'affaiblir par ses injures.
- Dis à ton entourage ce que tu sais à propos d'un intimidateur. Il n'est pas nécessaire de révéler que tu as été sa victime, mais prévenir les autres évitera qu'ils ne se fassent harceler.

- Raconte ce qui se passe à quelqu'un : un ami, un surveillant ou un professeur. Il ne faut pas oublier que ce sont des personnes-ressources qui sont là pour t'aider et qu'avec elles un bouclier de protection se forme autour de toi.

Plus précisément, les parents devraient suggérer à leur enfant victime d'intimidation cinq étapes de résolution de conflit :

1. Fais abstraction des propos rabaissants de l'intimidateur, essaie de les ignorer, comme s'ils ne te touchaient pas.
2. Affirme-toi de façon autoritaire, avec fermeté : **« Arrête ! Laisse-moi tranquille ! Je vais le dire ! »** Tu démontreras ainsi tes limites.
3. Formule un message clair : **« Je n'aime pas ça ! Aimerais-tu ça que je fasse ce que tu me fais à ta sœur ou à ton frère ? »**
4. Préviens-le des conséquences possibles s'il continue : **« Arrête, parce que je vais le dire à la surveillante. »**
5. Demande de l'aide. N'hésite pas à crier : **« À l'aide ! Il n'est pas gentil, il me fait peur ! »** En cas de violence physique de la part d'un intimidateur, évite les blessures en tentant de le pousser ou de le maîtriser, puis réfugie-toi dans un endroit sécuritaire ou auprès d'un adulte.

Nous conseillons aux parents de faire avec leur enfant des mises en situation. Vous jouerez le rôle d'un intimidateur et lui devra vous répondre. Il est important par la suite d'établir une stratégie de confiance : comment et à qui il doit se confier.

Agir à plus long terme

Face à l'intimidation, il est important que les jeunes apprennent à développer des habiletés saines et des comportements efficaces pour se protéger et se défendre contre cette forme de violence.

Afin d'y arriver, nous enseignons aux jeunes à s'affirmer avec assurance, à utiliser de bonnes stratégies de résolution de conflit avec leurs pairs, et à faire suffisamment confiance aux adultes qui les entourent pour se confier à eux concernant les difficultés qu'ils traversent.

Il va sans dire que le rôle des parents est primordial dans cet apprentissage, car leur disponibilité et leur écoute à l'égard de leur jeune sont souvent la première porte vers la prévention des agressions et leur résolution. De plus, si les jeunes n'ont qu'un seul milieu auquel ils s'identifient et dans lequel ils se sentent appréciés (par exemple, le groupe d'amis de leur classe), ils deviennent vite démunis lorsqu'ils subissent de l'intimidation à l'école. Tout leur univers semble basculer et l'isolement est souvent l'unique refuge qu'ils trouvent. Pour faire face à l'intimidation, les victimes ne doivent pas rester isolées. Elles ont besoin d'une oreille qui saura les rassurer, les aider aussi à relativiser ce qu'elles vivent et à trouver des solutions afin de faire cesser l'intimidation. Si elles arrivent à maintenir des liens positifs non seulement avec leurs amis, mais aussi avec d'autres personnes significatives dans leur vie (un parent, une grande sœur, un professeur, un oncle, la voisine d'en face), elles sauront vers qui se tourner pour demander de l'aide.

Il est donc crucial d'aider nos adolescents à maintenir un équilibre entre les sphères majeures de leur vie – maison, école, vie extrascolaire (voir le diagramme à la p. 30) – pour s'assurer qu'ils ne mettent pas tous leurs œufs dans le même panier. Cet équilibre permet de développer l'estime de soi nécessaire à un jeune pour qu'il puisse prendre confiance en lui. Cette confiance en soi favorisera la prévention des agressions. Face à un intimidateur qui cherche à le blesser par ses paroles, le jeune qui a une bonne estime de lui-même saura résister et ne s'écroulera pas devant ces attaques.

Il est fondamental que les jeunes comprennent un certain nombre de faits et de réalités.

- Leur vie scolaire occupe une place importante dans leur quotidien, mais il y a deux autres grandes sphères auxquelles ils peuvent s'accrocher : la maison (les relations avec leurs parents, leur fratrie et les membres de leur famille élargie) et la vie extrascolaire (la vie communautaire, les loisirs, le bénévolat, les sports, les projets personnels, etc.). On pourrait également ajouter un quatrième élément qui leur fournira un certain soutien : le futur. L'école secondaire n'est qu'un passage ; les rêves permettent aussi de s'accrocher et de foncer malgré une période plus difficile.
- Il faut éviter de se retirer et de s'isoler. On a vite tendance à broyer du noir dans les moments pénibles, alors que lorsqu'on ose se confier aux autres, parler sincèrement de ses sentiments, on se sent moins seul et on retrouve souvent des idées claires. C'est là qu'apparaissent les solutions.
- On peut tous être la cible de personnes qui cherchent à blesser les autres, à les rabaisser. Bon nombre de personnalités publiques et de célébrités ont vécu de l'intimidation pendant leur adolescence. Des gens que les jeunes admirent ont été intimidés. Le problème, ce ne sont pas les victimes, mais bien ceux qui intimident. Les intimidateurs devraient avoir honte, et non pas les jeunes qui subissent leurs agressions.

Recherchez l'équilibre... Vous trouverez le bonheur

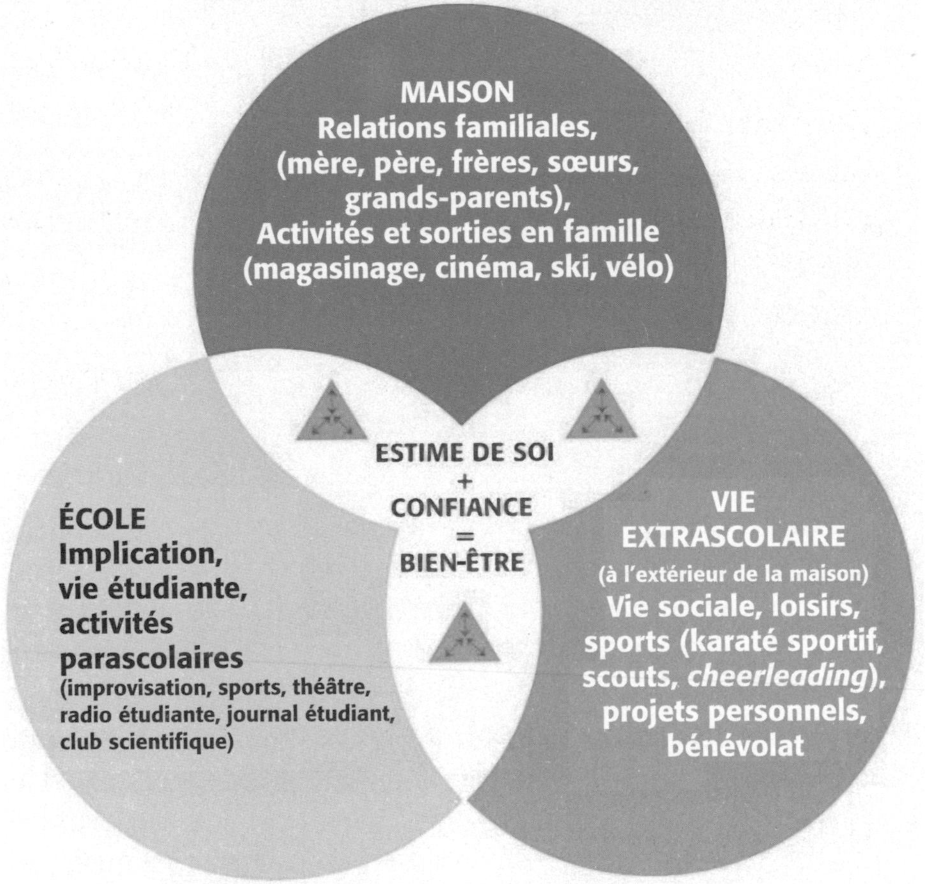

MAISON
Relations familiales,
(mère, père, frères, sœurs, grands-parents),
Activités et sorties en famille
(magasinage, cinéma, ski, vélo)

ESTIME DE SOI
+
CONFIANCE
=
BIEN-ÊTRE

ÉCOLE
Implication, vie étudiante, activités parascolaires
(improvisation, sports, théâtre, radio étudiante, journal étudiant, club scientifique)

VIE EXTRASCOLAIRE
(à l'extérieur de la maison)
Vie sociale, loisirs, sports (karaté sportif, scouts, *cheerleading*), projets personnels, bénévolat

But recherché : Le maintien de l'équilibre dans les trois sphères
Objectif : L'atteinte et le maintien du bonheur

Les pièges des agresseurs

Les agresseurs d'enfants utilisent un comportement amical, c'est-à-dire qu'ils tentent d'amadouer les petits plutôt que de les terroriser. Expliquez à votre enfant que l'agresseur aura l'air gentil, qu'il voudra devenir son ami, mais qu'il pourrait lui tendre des pièges.

Recourir à un animal

L'agresseur se sert d'un petit animal domestique (chien ou chat) pour faire monter l'enfant dans sa voiture ou encore l'amener dans sa maison ou à l'écart.

Utiliser le pouvoir

L'agresseur montre une fausse plaque de police, de pompier ou d'agent de sécurité pour que l'enfant le suive.

Demander un service

L'agresseur profite de la gentillesse de l'enfant. Il lui demande un service qui le forcera à suivre l'adulte dans un endroit qui pourrait s'avérer dangereux pour lui.

Offrir un petit emploi

L'agresseur demande à un enfant de faire un petit travail pour lui en échange d'un peu d'argent.

Demander son chemin

L'agresseur demande son chemin à l'enfant, puis l'invite à l'accompagner en voiture ou à pied pour mieux lui montrer la route à suivre.

Simuler une blessure

L'agresseur fait semblant de se blesser en tombant et demande à l'enfant de l'aider à se relever.

Jouer

Afin de gagner sa confiance et de l'amener plus facilement avec lui, l'agresseur peut jouer avec l'enfant de façon que celui-ci devienne son ami.

Simuler une urgence

L'agresseur simule une urgence à la maison, pour apeurer l'enfant et le faire sortir de chez lui. Celui-ci suivra l'adulte sans être sur ses gardes.

Le contrôle de la bagarre

Tout le monde s'entend : les bagarres attirent des problèmes. Il n'y a pas de gagnant et on en ressort toujours avec des séquelles. Dans les centres du Groupe Karaté Sportif du Québec, la résolution pacifique des conflits est enseignée à tous : enfants, adolescents et adultes. Un des ateliers consiste à simuler une agression verbale ou une dispute émotive. Les jeunes doivent dire les phrases suivantes en adoptant la position d'autodéfense :

- Les enfants : **« Arrête ! Je ne veux pas de problème, je ne veux pas me battre ! »**
- Les adolescents : **« Restons cool ! Je ne veux pas de problème, je ne veux pas me battre ! Restons cool. »**

Ensuite, ils doivent reculer en gardant un contact visuel avec l'adversaire, puis se sauver pour aller chercher de l'aide et se réfugier. Ces simples phrases visent à exprimer son caractère, à mettre une barrière entre soi et son adversaire, mais aussi à affronter ses peurs. On veut également semer l'instabilité et le doute chez l'agresseur, pour ainsi le dissuader de franchir le point de non-retour : une bagarre inévitable.

Protégez vos enfants sur Internet

Les recommandations suivantes peuvent vous aider à protéger vos enfants en ligne et à sauvegarder le contenu de votre disque dur, mais sachez qu'aucun de ces conseils ne peut garantir la sécurité de vos enfants. La meilleure façon d'aider les jeunes à naviguer en toute sécurité sur Internet est de leur enseigner à se protéger et de surveiller leurs activités en ligne.

- Installez l'ordinateur familial dans une pièce commune de la maison, comme la salle de séjour.
- Lorsque vous êtes absent, considérez l'utilisation de mots de passe pour limiter l'accès à Internet.
- Déterminez des moments précis de la journée où vos enfants peuvent utiliser l'ordinateur et limitez le temps passé à naviguer.
- Interrogez-vous sur la nécessité, pour des enfants, de fréquenter des forums de discussion. Certains parents interdisent carrément à leurs enfants d'accéder à des salons de clavardage (*chat rooms*), en insistant sur l'importance de développer des relations interpersonnelles et non des cyberrelations avec les autres enfants à l'école, au terrain de jeu, à la garderie, etc.
- Prenez le temps de discuter avec vos enfants des dangers reliés à Internet, et en particulier aux forums de discussion. Établissez des règles de sécurité lorsqu'ils utilisent l'ordinateur (par exemple, ne pas ouvrir de fichiers joints, ne jamais donner de renseignements personnels, etc.).
- Prenez le temps de naviguer avec vos enfants et d'apprendre ce qui les intéresse.
- Surveillez votre enfant lorsqu'il joue à des jeux en ligne : il est préférable qu'il le fasse avec des amis.

- Informez votre enfant que certains adultes peuvent se faire passer pour des enfants sur des jeux en ligne. Ainsi, il restera sur ses gardes.

Conseils aux enfants

- À moins d'avoir l'autorisation de tes parents ou d'un enseignant, il ne faut jamais :
  - donner ton nom, ton adresse, ton numéro de téléphone ou le nom de ton école sur Internet ;
  - envoyer ta photo ;
  - donner ton adresse de courriel ou ton mot de passe ;
  - donner des informations concernant tes parents.
- Si, dans un salon de clavardage, par courriel ou sur un site Web, tu te sens menacé ou mal à l'aise, tu dois tout de suite te déconnecter du réseau et en parler à tes parents ou à un enseignant.
- Tu ne dois jamais organiser une rencontre avec quelqu'un que tu as connu par le biais d'Internet sans être accompagné d'un de tes parents.
- Dans les salons de clavardage, les groupes de discussion ou les babillards, tu dois toujours utiliser un surnom qui ne donne aucune indication sur ton identité.
- Tu ne dois jamais ouvrir de courriels, de liens, d'images ou de jeux dont tu ne connais pas la provenance. Dans le doute, avant de faire un geste, il est préférable de demander l'opinion d'un adulte.
- Tu ne dois en aucun cas faire des achats en ligne sans la permission de tes parents.

Quelques conseils de sécurité

Voici une liste de conseils pratiques qui visent à maximiser la sécurité des enfants. Ces recommandations s'adressent aux parents – dans la vie de tous les jours ainsi que dans des situations particulières –, mais également aux enfants eux-mêmes.

Pour les parents

- Encouragez votre enfant à discuter des événements qui lui semblent anormaux, afin qu'il ne garde aucun secret.
- Enseignez-lui que ses parties intimes (ce qui est caché par le maillot de bain) lui appartiennent et que personne n'a le droit d'y toucher.
- Assurez-vous que toutes les portes soient sécurisées et que toutes les fenêtres soient fermées avant de laisser votre enfant seul à la maison.
- Lorsque vous êtes en compagnie de vos enfants (au parc, au magasin ou dans tout autre lieu public), ne les quittez jamais des yeux.
- Ne laissez jamais un enfant seul, sans surveillance, dans une voiture.
- Assurez-vous de bien lui expliquer qu'un agresseur d'enfants peut être habillé normalement et que, très souvent, il aura l'air gentil. Il ne sera pas vêtu de noir et il ne portera pas de masque ou de cape, comme le pensent souvent les jeunes.
- Apprenez à votre enfant à connaître par cœur son prénom et son nom, son adresse ainsi que son numéro de téléphone. Ce sont des informations qu'il pourra répéter à un agent de police s'il est perdu.
- Ne laissez jamais votre enfant sans surveillance. Enseignez-lui à toujours rester près de vous, de façon qu'il soit toujours dans votre champ de vision.

- Si vous vous rendez avec votre enfant dans un lieu ou un événement où il y a une grande foule, inscrivez votre numéro de téléphone portable sur son bras. S'il se perd, il pourra demander de l'aide et on pourra vous contacter rapidement.
- Enseignez à votre enfant que s'il se perd ou s'il a besoin d'aide, par exemple dans un magasin, il doit tout de suite se diriger vers un employé des caisses ou vers un agent de sécurité, ou encore demander de l'aide à des adultes accompagnés d'enfants. Il devra alors mentionner ses nom et prénom, son adresse ainsi que son numéro de téléphone.
- Observez la tenue vestimentaire de votre enfant lorsqu'il quitte la maison.
- Inscrivez ou cousez toujours son nom, son adresse et son numéro de téléphone à l'intérieur de ses vêtements. Cela sera d'un très grand secours s'il se perd.
- Évitez que ces informations soient visibles de l'extérieur ; cela pourrait avantager un éventuel agresseur.
- Prenez connaissance de ses allées et venues : le chemin qu'il emprunte pour aller à l'école, le parc où il s'amuse, etc.
- Notez les noms, adresses et numéros de téléphone des amis de votre enfant.
- Déterminez un endroit (porte du réfrigérateur, babillard, bloc-notes, comptoir) où il sera possible de laisser des messages précisant où vous êtes et l'heure à laquelle vous comptez revenir.
- Procurez-vous des talkies-walkies d'une portée de plus de trois kilomètres, afin de garder le contact avec lui.
- Assurez-vous que votre enfant puisse facilement vous joindre si vous devez vous absenter.
- Établissez un mot de passe connu seulement de vous et de lui. Ce code pourra servir, notamment, lorsque vous ne serez

pas en mesure d'aller le chercher à l'école et que vous enverrez à votre place quelqu'un qu'il ne connaît pas, un voisin ou un ami à vous. Cette personne devra mentionner le code à votre enfant, par exemple «patati, patata». Sinon, interdisez-lui d'accompagner l'adulte ou de monter à bord de sa voiture.

- Amenez votre enfant à un téléphone public et assurez-vous qu'il puisse s'en servir. De plus, enseignez-lui comment téléphoner à frais virés.
- Soyez attentif à tout adulte qui porterait une trop grande attention à votre enfant.
- Ne le laissez pas aller seul dans les toilettes publiques.
- Conservez un carnet d'identité de votre enfant, avec une photo récente.
- Avant de le laisser seul en présence d'un adulte, assurez-vous d'être bien informé sur celui-ci.
- Vérifiez toujours les références d'une personne avant de lui confier la garde de votre enfant.
- Signalez toujours l'absence de votre enfant à l'école.
- Faites des mises en situation avec votre enfant. Simulez un étranger qui s'approche de lui et demandez-lui de mettre en application les quatre règles de sécurité (voir à la page 86).
- N'oubliez pas de lui rappeler la procédure pour demander de l'aide (voir à la page 23).

Votre enfant disparaît

- Avant d'appeler la police, passez au peigne fin tous les recoins de la maison (grenier, sous-sol, cabanon, garage, dessous de lits, garde-robes, etc.). Essayez d'imaginer tous les endroits possibles où pourrait se cacher un enfant.
- Allez à l'extérieur et observez autour de la maison (dans les ruelles, les parcs, les cours, etc.).

- Entrez en contact avec les amis de votre enfant et avec vos voisins.
- Appelez le directeur, les professeurs et les surveillants de l'école fréquentée par votre enfant.
- Enquêtez dans les endroits préférés de votre enfant et de ses amis : aréna, magasins, parc, forêt, endroit secret, etc.
- Renseignez-vous auprès de votre ex-conjoint, de l'employeur de votre enfant et dans les centres hospitaliers de votre région.
- Après tous ces efforts, si vous n'avez toujours aucune nouvelle de votre enfant, entrez en contact avec le service de police (911).

À l'Halloween

- Révisez avec votre enfant les quatre règles de sécurité (voir à la page 86).
- Expliquez-lui qu'il ne doit jamais entrer dans la maison des gens.
- Choisissez judicieusement son déguisement : les costumes ne doivent pas gêner la vision ou l'audition de l'enfant ; les meilleurs sont ceux de couleur claire ou brillante, et munis d'une bande réfléchissante ; les costumes courts sont idéals pour éviter que l'enfant ne trébuche ou ne tombe.
- Donnez à chaque enfant une lampe de poche munie de piles neuves.
- Faites un rappel des règles de sécurité routière à suivre, par exemple traverser la rue aux intersections et non entre les voitures stationnées.

Pour l'enfant

- Reste avec tes amis, peu importe l'endroit où tu vas.
- Ne demeure jamais seul dans des endroits comme une ruelle, un stationnement ou un parc, ainsi que dans la cour d'école après la classe.

- Lorsque tu es seul chez toi, n'ouvre la porte à personne.
- Quand tu es seul à la maison, évite de le dire au téléphone ou à quelqu'un qui sonne à la porte. Explique plutôt que ton père est occupé et que ta mère est à la salle de bain.
- Au téléphone, n'imite jamais la voix de tes parents.
- Si un étranger te demande ton nom, ne le lui dis jamais. Tu dois plutôt lui répondre : **« Pourquoi ? »**
- Si un inconnu s'arrête en voiture pour te demander une indication ou t'offrir des cadeaux ou des surprises, ne t'approche pas du véhicule : pense aux quatre règles de sécurité (voir à la page 86).
- Si tu n'entends pas ce que l'individu te dit, demande-lui de parler plus fort. Tu ne dois t'approcher de lui en aucun cas.
- Si l'inconnu sort une arme à feu ou un couteau et te vise, sauve-toi le plus rapidement possible. Il n'utilisera pas son arme : ce serait trop risqué pour lui.
- Dis toujours non à un adulte qui te demande d'aller seul avec lui dans sa voiture ou dans sa maison, sauf si tes parents te l'ont permis.
- Si quelqu'un s'approche rapidement de toi et qu'il tente de t'agripper, crie fort : **« Non ! Au secours ! Ce n'est pas mon père (ou ma mère). À l'aide ! »**
- Lorsqu'un méchant veut t'agripper et que personne ne vient à ton secours, tourne sur toi-même en te laissant tomber le plus rapidement possible. De cette manière, il aura de la difficulté à t'attraper. N'oublie pas de crier très fort.
- Si un inconnu qui te veut du mal tente de te faire taire en te mettant une main sur la bouche, mords-le le plus fort possible. Une fois qu'il t'aura relâché, sauve-toi rapidement.

- Si tu es prisonnier dans une automobile, tente de te sauver lorsqu'elle s'arrêtera à un feu rouge. Si tu ne peux t'en échapper, baisse la vitre et crie le plus fort possible.
- Lorsque tu t'es enfui, continue à crier en courant rapidement vers un lieu public (par exemple, un magasin) ou une maison Parents-Secours.
- Ensuite, téléphone à la police : elle viendra te chercher.

Le gardiennage

- Connais toujours par cœur l'adresse et le numéro de téléphone de l'endroit où tu gardes des enfants.
- Avant d'aller garder, va rencontrer les enfants accompagné d'un de tes parents.
- Indique à ta famille le numéro de téléphone de l'endroit où tu gardes ainsi que l'heure à laquelle tu termineras le travail.
- Sil est impossible pour tes parents de venir te chercher à ce moment, exige qu'on te raccompagne à la maison en voiture.
- Il est fortement recommandé de suivre le cours « Gardiens avertis ». Informe-toi auprès de ta municipalité ou de ton école.

Prévenir les agressions

Quelques conseils pratiques

Pour vous aider à minimiser les risques d'agression tout en augmentant votre confiance et votre liberté, voici une liste de conseils pratiques à mettre en application dès maintenant. Notez que certains changeront quelque peu vos habitudes, mais à force d'adopter la bonne démarche préventive, celle-ci deviendra inconsciente. Nous voulons que vous développiez des automatismes de prévention, automatismes qui contribueront à augmenter votre sentiment de sécurité. Si vous n'apprenez pas à vous protéger, personne d'autre ne le fera à votre place.

Conseils généraux

- Quand un agresseur décide d'attaquer, il souhaite que le tout se déroule selon son plan ; il ne veut pas que vous réagissiez. Un grand nombre d'agressions surviennent alors lorsque la victime est concentrée sur une tâche particulière, par exemple regarder l'écran de son téléphone portable. Le secret d'une bonne prévention est donc le suivant : soyez alerte en tout temps : avant, pendant et après l'exécution d'une tâche spécifique.
- D'après les nombreux témoignages de femmes qui ont subi une agression, la majorité des victimes avaient pressenti le danger qui les guettait, mais elles ont ignoré cet avertissement. Conclusion : fiez-vous à l'intuition féminine.

- Entraînez-vous à développer votre vision périphérique : essayez d'observer les gens sans les fixer et sans qu'ils s'en rendent compte. Pour ce faire, regardez un objet et concentrez-vous sur lui, afin de pouvoir détailler tous les autres objets qui vous entourent.
- N'écrivez jamais votre nom ou votre adresse sur votre porte-clés.
- Gardez vos ongles le plus longs possible.
- N'inscrivez jamais au verso des photos que vous conservez sur vous le nom, l'âge et l'adresse de la personne photographiée.
- Si vous ne croyez pas être en mesure de crier efficacement, gardez un sifflet sur vous lorsque vous sortez seul. Il permettra d'attirer l'attention et les regards, et ainsi d'apeurer l'agresseur.
- Afin d'attirer davantage l'attention des gens, munissez-vous d'une alarme portative. Optez idéalement pour un modèle à déclenchement automatique lorsque vous dégoupillez l'alarme.
- Si quelqu'un vous retient de force et que, pour vous empêcher de crier, il met sa main sur votre bouche, mordez-le sans lâcher, jusqu'au moment où il vous suppliera d'arrêter.
- Il est facile pour les agresseurs de connaître la date à laquelle les personnes âgées, les prestataires d'assurance-emploi et même les travailleurs reçoivent leur chèque ; parfois, ils les attendent à la sortie de la banque. Si possible, patientez quelques jours avant de l'encaisser ou rendez-vous en groupe à votre institution financière. Signez vos chèques une fois sur place seulement. Demandez que votre allocation soit déposée automatiquement dans votre compte bancaire.
- Lorsque vous présentez votre permis de conduire ou une autre pièce d'identité pour vous identifier dans les magasins, par exemple, couvrez votre adresse avec le pouce. Ce n'est pas

une information nécessaire au processus d'identification et le vendeur ne prendrait que quelques secondes à la mémoriser.

- Quand vous allez au restaurant seul, réservez pour deux personnes, de manière qu'on ne vous place pas dans un coin isolé. Sinon, cela faciliterait la tâche à un individu qui voudrait vous importuner.
- Asseyez-vous dos au mur, afin d'être attentif à tout ce qui se passe autour de vous.
- Apportez des revues ou des journaux de manière à occuper la place en entier. Cela dissuadera tout individu qui voudrait vous tenir compagnie contre votre gré.
- Dans les grandes bâtisses, par exemple les immeubles de bureaux, les centres commerciaux, les collèges et les universités, vous pouvez bénéficier, dans certains cas, d'un service d'accompagnement offert par l'agence de sécurité de l'endroit. Profitez-en et n'hésitez pas à le demander.
- Lorsque vous allez seul au cinéma, évitez de vous asseoir dans des endroits isolés ; prenez plutôt un siège près des allées.
- Lorsque vous prenez un rendez-vous avec une personne que vous connaissez peu, fixez-le dans un endroit public connu de vous et évitez de vous isoler en compagnie de cet individu.
- Informez une personne de votre entourage de l'endroit où vous passerez la soirée.
- Dans un lieu public, si un individu vous importune, vous êtes en droit de porter plainte en vous adressant à la personne responsable (gérant ou propriétaire).
- Évitez de laisser les deux extrémités de votre foulard ou de votre écharpe à l'extérieur de votre manteau. Quelqu'un pourrait les utiliser pour tenter de vous étrangler.

À la maison

Les voleurs préfèrent que nous leur facilitions la tâche. Les conseils élémentaires de sécurité suivants pourront vous aider à maximiser la sécurité de votre domicile afin de le rendre moins attrayant pour les criminels.

- Faites la connaissance de vos voisins. De cette manière, vous pourrez avoir à l'œil les personnes, les activités ou les véhicules inhabituels dans la rue ou dans le quartier.
- Verrouillez les portes en tout temps, même si vous vous trouvez à l'intérieur. N'oubliez pas la porte arrière et celle du garage.
- Taillez les arbustes et les haies en face des entrées et des fenêtres. Vous empêcherez ainsi les voleurs d'épier discrètement ce qui se passe à l'intérieur. Ils hésiteront alors à agir, sachant qu'ils ne seraient pas à l'abri des regards pendant leur délit.
- N'obstruez jamais les fenêtres avec des plantes.
- Laissez allumées les lumières extérieures et intérieures des entrées, à l'avant et à l'arrière de la maison. Les malfaiteurs hésiteront à pénétrer dans votre domicile puisqu'ils préfèrent commettre leur crime dans le noir. Protégez les lumières extérieures de façon à éviter qu'on ne les brise ou qu'on ne les enlève.
- Équipez votre maison d'un système d'éclairage automatique à détecteur de mouvement.
- Faites en sorte que votre demeure semble toujours habitée. Une minuterie pour régler l'éclairage, des chaussures dans l'entrée ou bien des jouets dans la cour peuvent créer cette impression et dissuader les voleurs d'agir.
- Évitez de laisser une note sur la porte expliquant la raison de votre absence : elle constituerait un signe que la maison est inoccupée.

- Munissez vos portes d'un signal sonore lorsqu'elles s'ouvrent.
- Un système d'alarme est le meilleur moyen de repousser les criminels, mais faites en sorte que tous les résidants de la maison connaissent bien son fonctionnement. De plus, assurez-vous d'engager une firme reconnue et professionnelle.
- Testez votre système d'alarme tous les trois mois, afin de vous assurer de son bon fonctionnement.
- Faites savoir que votre demeure est protégée par une alarme en apposant un autocollant sur la porte principale.
- Gardez, non loin de votre lit, un téléphone que vous pouvez facilement atteindre.
- Sur votre téléphone fixe, programmez les numéros d'urgence (police, voisin, parent, etc.) afin de pouvoir les composer rapidement.
- Ne révélez à aucun inconnu l'endroit où vous habitez, le fait que vous demeurez seul ou d'autres renseignements semblables.
- Ne faites pas publier votre prénom dans l'annuaire téléphonique. Il est préférable de faire inscrire seulement l'initiale de votre prénom ou, mieux encore, d'utiliser un numéro de téléphone confidentiel.
- N'inscrivez que vos initiales sur votre boîte aux lettres.
- Lorsque vous emménagez dans une nouvelle demeure, faites changer les serrures.
- Installez plusieurs serrures sur chaque porte plutôt qu'une seule.
- Faites le tour de votre maison avec un serrurier ; il vous recommandera le meilleur choix de serrures selon vos besoins.
- Faites en sorte que les fenêtres de votre demeure ne puissent pas s'ouvrir complètement, juste assez pour assurer la ventilation.

- Verrouillez bien votre cabanon et votre garage pour éviter que des voleurs n'aient accès à une échelle ou à des outils qui faciliteraient leur crime.
- Lorsque vous cachez votre clé de maison, évitez les endroits connus de tous : dans la boîte aux lettres, sous le paillasson ou sous un pot de fleurs, etc.
- Le soir venu, fermez les stores ou les rideaux afin d'éviter qu'on ne puisse, de l'extérieur, savoir combien de personnes sont présentes.
- Lorsque vous sentez qu'un individu vous épie par la fenêtre de votre maison, prenez le téléphone et contactez un de vos proches. De cette manière, le voyeur n'osera pas aller plus loin.
- À votre retour à la maison, si vous remarquez qu'une porte ou une fenêtre a été forcée, que des objets ont été volés ou déplacés, ou encore qu'un intrus s'y trouve, sauvez-vous le plus rapidement possible. Allez vous réfugier chez le voisin le plus près et contactez la police.
- Quand vous revenez à la maison les bras remplis de sacs, ne faites pas l'erreur d'aller les déposer à la cuisine en laissant la porte ouverte. Aussitôt entré chez vous, refermez immédiatement la porte.
- Lorsqu'on vous livre des meubles (électroménager, chaîne stéréo, téléviseur, etc.), demandez aux livreurs de reprendre les boîtes vides. Si vous les laissez devant la maison, tout le monde saura que vous venez de vous procurer des biens de valeur. Si les livreurs sont dans l'impossibilité de les reprendre, attendez jusqu'au jour de la collecte des ordures pour sortir les boîtes vides.
- Ne laissez pas traîner des clés, de l'argent ou des bijoux lorsqu'il y a un réparateur dans votre demeure.

- Ne permettez jamais au réparateur d'être accompagné d'amis dans votre maison.
- La nuit, évitez de laisser votre portefeuille sur votre bureau ou sur la table de nuit. Optez plutôt pour un endroit sécuritaire.

Dans un immeuble d'habitation

- Ne laissez jamais un inconnu entrer dans l'immeuble, même si celui-ci a des clés en main : ce ne sont peut-être pas les bonnes.
- Lorsque quelqu'un sonne, informez-vous de la nature de sa visite avant de déverrouiller la porte du rez-de-chaussée. Il est même conseillé d'aller ouvrir soi-même.
- Évitez de demeurer seul dans la salle de lavage.

La violation de domicile avec agression

Certaines personnes sont victimes de violation de domicile avec agression. Cette appellation fait référence à une entrée sans autorisation dans une résidence privée et sans le consentement de la ou des personnes qui s'y trouvent au moment du délit. Plusieurs se rassurent en se disant que la plupart des vols ont lieu lorsque les résidants sont absents. Rappelez-vous cependant que nul n'est à l'abri d'une violation de domicile. Même si ce type d'infraction est peu fréquent, il faut tout de même savoir mettre toutes les chances de son côté pour prévenir ce crime.

- Élaborez un plan d'action efficace dans l'éventualité où un intrus pénétrerait dans la maison lorsque vous y êtes.
- Gardez votre calme.
- Faites installer une serrure sur votre porte de chambre à coucher.

- Dans votre chambre à coucher, ayez toujours près du lit un téléphone et une lampe de poche, en cas de panne de courant.
- Si un intrus pénètre dans votre demeure la nuit, allez chercher vos enfants le plus rapidement possible, verrouillez la porte de votre chambre et appelez la police. Ensuite, criez au voleur : **« Je ne vous ai pas vu, j'ai appelé la police. Prenez ce que vous voulez et partez ! »**
- Si un intrus pénètre dans votre chambre à coucher, faites semblant de dormir, tout en restant alerte.
- Essayez de mémoriser le plus de caractéristiques physiques possible pour décrire le criminel. Il sera alors plus facile pour les policiers d'appréhender le suspect

On sonne à la porte

- Si votre porte n'est pas munie d'une fenêtre, faites-y installer un judas à grand angle (180°).
- Vérifiez toujours qui est là avant d'ouvrir.
- Gardez la porte verrouillée en tout temps. Demandez qui est là, puis si vous n'êtes pas certain de l'identité de la personne, exigez plus de détails : l'organisme ou l'entreprise qu'elle représente, etc. Vous serez ainsi en mesure de vérifier rapidement sur Internet le numéro de téléphone à contacter pour confirmer son identité. Ne vous fiez pas au numéro que l'on vous donne.
- Lorsque vous recevez la visite d'un inconnu (colporteur, représentant d'une compagnie, etc.), placez-vous près de la porte et simulez une conversation, afin qu'il l'entende. Dites quelque chose comme : **« Non, laisse, chéri, je m'en occupe. Je vais voir qui est à la porte. »** Si le visiteur vous croyait seul, il sera déjoué et révisera ses plans.

- Regardez à travers le judas, puis demandez à voix haute : **« Qui est-ce ? »** Si vous ne connaissez pas la personne et que vous n'attendez aucune livraison, n'ouvrez pas. Si le visiteur est sérieux, il laissera ses coordonnées ou sa carte professionnelle.
- Si un étranger est en difficulté et affirme avoir besoin d'utiliser votre téléphone, ne le laissez pas entrer. Dites-lui plutôt que vous ferez l'appel vous-même ou apportez-lui un téléphone sans fil à l'extérieur.
- N'oubliez pas que vous n'avez pas à ouvrir à quelqu'un que vous ne connaissez pas.
- Si vous ne désirez pas laisser entrer quelqu'un dans votre maison, ne vous confondez pas en excuses : vous êtes chez vous et vous avez le droit de décider qui vous voulez recevoir ou non.
- Faites confiance à votre instinct : si vous n'êtes pas à l'aise avec la situation, n'ouvrez pas la porte.
- Ne vous laissez pas influencer et ne croyez pas trop facilement ce que l'on vous dira. Les agresseurs et les voleurs ont, en majorité, un talent de persuasion très développé.
- Souvenez-vous qu'il est préférable de refuser d'ouvrir à un étranger ayant de bonnes intentions que de laisser entrer un inconnu qui a de mauvais desseins.
- Sensibilisez vos enfants dès leur jeune âge aux risques d'ouvrir la porte à des inconnus.

Vous vivez seul

- La nuit, assurez-vous que les portes et les fenêtres sont correctement fermées et verrouillées. N'oubliez pas le garage et le cabanon.
- Lorsque vous utilisez le service de livraison offert par les restaurants, commandez toujours des ustensiles pour deux et deux boissons. Le livreur ignorera ainsi que vous êtes seul.

- Ne recevez jamais un réparateur alors que vous êtes seul à la maison. Ayez quelqu'un avec vous en tout temps.

Au téléphone

- Ne donnez jamais d'informations personnelles.
- Afin de recueillir de l'information sur vous, les criminels se font passer pour des solliciteurs téléphoniques, des inspecteurs, du personnel de banques ou de maisons de crédit, et même pour des policiers. Soyez donc alerte.
- Les informations que le «criminel téléphonique» veut vous soustraire sont généralement les suivantes : si vous vivez seul, votre salaire, si votre résidence est munie d'un système d'alarme, à quel endroit et à quel moment vous travaillez, etc.
- Lorsqu'un individu veut obtenir ces informations par téléphone, dites-lui que vous ne voulez pas les lui donner et raccrochez.
- Si vous recevez à domicile des appels concernant la vente par démonstration, acceptez seulement si une autre personne vous accompagne.
- Lorsque votre numéro a été composé par erreur, ne divulguez ce dernier en aucun cas ; laissez plutôt le soin à votre interlocuteur de vous dire celui qu'il a fait.
- Si vous devez quitter votre demeure, ne le faites jamais savoir à un inconnu au téléphone, en disant par exemple : «Je n'ai pas le temps de vous parler, car je dois m'absenter pour la soirée.»
- En cas d'appels obscènes ou de menaces téléphoniques, restez calme et ne démontrez pas de peur dans votre voix.
- Durant les appels obscènes, demandez à votre interlocuteur : **«Continue de parler, j'enregistre la conversation»**, puis dites-lui que vous allez le retracer.
- Vous pouvez faire retirer votre numéro de l'annuaire téléphonique et demander un numéro confidentiel.

- Ayez en tout temps à portée de main le numéro de téléphone de la police ou faites le 911, tout simplement.
- Lorsque vous utilisez un téléphone public, qu'il soit situé à l'intérieur d'une cabine ou non, ne faites jamais face à l'appareil, parce qu'il serait facile pour un éventuel agresseur de vous surprendre alors que vous êtes concentré sur la discussion.
- Optez plutôt pour un téléphone public situé dans un endroit achalandé : restaurant, dépanneur ou magasin.
- Le cellulaire demeure l'outil par excellence pour votre sécurité : il vous suit partout.

Le répondeur téléphonique

- Recourez à un répondeur afin de filtrer les appels. Vous pouvez également le faire en utilisant votre afficheur.
- Si vous êtes une femme et que vous demeurez seule, il est préférable de faire enregistrer votre message d'accueil par un homme que vous connaissez bien.
- Ne mentionnez jamais que vous êtes absent, mais plutôt que vous êtes occupé. N'utilisez pas les affirmations du genre : « Je vous rappellerai le plus tôt possible », mais plutôt : « Nous vous rappellerons le plus tôt possible. »

En voiture

- Assurez-vous que votre automobile est en bonne condition. Une panne sèche ou un bris mécanique survenant dans un endroit isolé pourrait s'avérer dangereux.
- La nuit comme le jour, gardez toujours les portières de votre véhicule verrouillées, car un agresseur pourrait s'y cacher et attendre votre retour.
- Optez pour un système de verrouillage électrique avec contrôle à distance.

- Ne laissez jamais les clés, le certificat d'immatriculation et le certificat d'assurance responsabilité automobile dans le coffre à gants du véhicule. Si des malfaiteurs le volent, ils auront accès à votre adresse.
- Gardez les vitres de votre véhicule montées.
- Ne prenez jamais d'auto-stoppeur.
- Gardez toujours à portée de main un papier et un crayon.
- Avant d'ouvrir la portière de votre véhicule pour y monter, vérifiez sur la banquette arrière si un individu s'y cache.
- Si vous êtes immobilisé et qu'un inconnu frappe à la vitre, ne la baissez pas et ne sortez jamais de votre véhicule, peu importe la raison. Vous réussirez quand même à entendre ce qu'il veut vous dire à travers celle-ci si la radio et le système d'aération sont éteints.
- En cas d'ennuis mécaniques dans un endroit isolé ou peu éclairé, sortez rapidement du véhicule et soulevez le capot. Ensuite, retournez rapidement à l'intérieur pour attendre patiemment la venue des secours. Si un inconnu s'arrête pour vous offrir de l'aide, demandez-lui, à travers la vitre fermée, de contacter un service de remorquage.
- Si vous êtes suivi par un véhicule, maintenez une vitesse constante. Ne ralentissez pas et ne vous arrêtez jamais sur l'accotement pour vous laisser dépasser. Si l'individu persiste dans sa poursuite, vous pouvez actionner les feux de détresse et appuyer sur le klaxon afin d'attirer l'attention.
- Lors d'une collision pare-chocs contre pare-chocs dans un endroit peu passant, ne sortez pas de votre voiture. Demandez le numéro d'immatriculation de l'autre véhicule à travers la vitre et rendez-vous par la suite dans un endroit public.

- Si vous voyez qu'un automobiliste est en panne, ne vous arrêtez pas pour lui venir en aide, car il peut s'agir d'un piège. Contactez un service d'urgence.
- Si un individu s'approche de votre véhicule avec une arme à feu à la main, sauvez-vous en voiture, si l'espace et le temps vous le permettent.
- Si un individu pénètre dans votre véhicule alors que vous y êtes, sortez et sauvez-vous à la course. Évitez de devenir un otage.

Dans les stationnements

- Stationnez toujours votre voiture dans des endroits publics bien éclairés et gardez toujours vos clés dans votre main lorsque vous y retournez. Vous pourrez ainsi monter rapidement dans votre véhicule et être le moins longtemps possible exposé aux incidents pouvant survenir dans un stationnement.
- Si possible, garez votre voiture près de la porte d'entrée ou non loin de la guérite du gardien.
- Ne marchez jamais entre les voitures stationnées, car un agresseur pourrait facilement se cacher entre celles-ci. Il est fortement recommandé de marcher dans les allées centrales.
- Ne stationnez jamais près d'une camionnette, car il serait facile pour des agresseurs de vous agripper dès que vous descendez de votre véhicule pour ensuite vous faire monter de force dans le leur.
- Si vous retournez à votre voiture et qu'une camionnette est stationnée du côté de la portière du conducteur, utilisez le côté passager pour y monter.
- Lorsque vous êtes seul dans un stationnement et que vous retournez à votre voiture, regardez en dessous de celle-ci du plus loin possible : un agresseur pourrait se cacher sous le véhicule

de manière à pouvoir agripper vos chevilles lorsque vous tenterez d'y monter. S'il est impossible de voir sous celle-ci, ne placez pas vos pieds sur une même ligne, mais bien un en avant de l'autre, ce qui empêchera l'agresseur d'agripper vos deux chevilles à la fois. Vous pourrez ainsi vous défendre en le frappant avec l'autre jambe.

Dans la rue

- Évitez de sortir seul la nuit.
- Marchez toujours loin des murs ; restez plutôt près de la chaussée pour éviter toute attaque surprise.
- Lorsque vous passez près d'un individu, marchez en martelant vos pas afin de lui montrer que vous avez du caractère et que vous ne vous en laissez pas imposer.
- Marchez toujours la tête haute, les épaules redressées. Soyez attentif à ce qui se passe autour de vous et à ceux qui vous entourent.
- Ne vous promenez pas les mains dans les poches. Vous réagiriez plus lentement et plus difficilement si quelqu'un vous attrapait par surprise.
- Pour faire une promenade, seul le soir, choisissez des rues passantes et bien éclairées.
- Munissez-vous d'une petite lampe de poche lorsque vous vous promenez seul le soir. Si vous possédez un téléphone intelligent, vous pouvez télécharger l'application *Lampe de poche*.
- Ne vous promenez jamais avec deux écouteurs sur ou dans les oreilles ; portez-en un seul de façon à entendre ce qui se passe autour de vous.
- Marchez près d'un couple afin que les passants croient que vous êtes accompagné.

- Lorsque vous devez vous rendre à un endroit précis, déterminez à l'avance votre parcours et évitez tout raccourci, tels les parcs et les terrains vacants.
- Si un individu vous interpelle pour vous demander l'heure, évitez de baisser les yeux en direction de votre poignet. Relevez plutôt votre montre à la hauteur des yeux de façon à pouvoir lui répondre tout en l'observant. Cette simple action vous permettra de minimiser les risques d'un assaut de sa part.
- Lorsqu'un individu, en auto ou à pied, vous arrête pour vous demander sa route, pointez la direction tout en regardant la personne attentivement. Appliquez les quatre règles de sécurité (voir à la page 86).
- Si vous devez absolument emprunter un chemin risqué, marchez la tête haute et d'un pas décidé. Ayez vos clés en main : vous pourrez les utiliser pour vous défendre.
- Ne faites jamais d'auto-stop.
- N'acceptez en aucun cas qu'un inconnu vous raccompagne à la maison.
- Lorsque vous êtes raccompagné chez vous par quelqu'un que vous connaissez, mais en qui vous n'avez pas tout à fait confiance, marchez un peu en retrait. Il vous sera plus facile de l'observer et de l'empêcher de vous surprendre. Rappelez-vous que 80 % des femmes agressées avaient déjà vu leur agresseur.
- Gardez toujours dans vos poches avant votre carte d'assurance maladie, vos cartes de crédit et vos clés. Vous pourrez ainsi rentrer à la maison en cas de vol de votre sac à main ou d'agression.
- Votre sac à main doit uniquement contenir vos effets personnels de moindre importance : brosse à cheveux, fixatif, produits de beauté, crayon, etc.

- N'enroulez pas la courroie de votre sac à main autour de votre poignet. Si un voleur vous surprend et tire pour vous le dérober, vous risquez de tomber et de vous blesser.
- Portez votre sac à main sous le bras plutôt qu'en bandoulière. Vous éviterez ainsi les blessures si l'on tente de vous l'arracher.
- Gardez toujours l'ouverture de votre sac à main près de vous (vers l'intérieur) afin d'éviter la tentation.
- Portez votre sac à main du côté opposé à la circulation des automobiles.
- En cas d'attaque, vous pouvez jeter votre sac à main dans la rue et vous enfuir de l'autre côté pendant que le suspect va le chercher.
- Nous conseillons fortement le port d'une ceinture porte-monnaie, si pratique et si peu encombrante : elle désintéresse les voleurs.
- Évitez de présenter le contenu de votre portefeuille dans un endroit public.
- Ne transportez pas de grosses sommes d'argent sur vous.
- Optez pour des paiements par carte de crédit ou de débit, mais assurez-vous de cacher votre NIP (numéro d'identification personnel).
- Gardez toujours vos clés de voiture et de maison dans vos poches avant. Elles seront plus accessibles pour vous défendre en cas d'agression.
- Si vous êtes témoin d'une altercation, ne vous en mêlez pas : il pourrait s'agir d'un subterfuge, d'une bagarre simulée, pour vous attirer afin de s'en prendre à vous. Contactez plutôt la police.

- Lorsque vous décidez de sortir seul dans un endroit public, habillez-vous de façon à attirer le moins possible l'attention (couleurs neutres).
- Si vous conversez avec des gens qui vous sont inconnus, soyez alerte. Évitez de mentionner votre adresse, votre lieu de travail et votre statut social.
- Lorsque vous pratiquez la course à pied, changez fréquemment d'itinéraire afin d'éviter qu'un éventuel agresseur ne puisse connaître vos habitudes (allées et venues).
- Évitez de vous promener dans des endroits où il y a des graffitis sur les murs : cela révèle la présence de bandes organisées (gangs).

On vous suit

- Portez toujours une attention particulière aux gens qui vous entourent.
- Évitez de rentrer chez vous.
- Traversez la rue et allez vous réfugier dans un endroit public, tels un magasin ouvert ou un poste de police. N'hésitez pas à interpeller quelqu'un dans la rue et à demander de l'aide : **« Au secours, je me fais suivre, je ne le connais pas, aidez-moi ! »**
- Lorsqu'un véhicule vous suit, arrêtez dans un endroit public achalandé. Entrez-y et donnez le plus d'indications possible sur la voiture suspecte et, si vous le pouvez, sur son ou ses occupants.
- Si vous avez l'impression d'être suivi, envoyez la main vers une fenêtre éclairée : l'individu pensera que vous êtes attendu.
- Lorsqu'un individu vous talonne de trop près, ne tournez pas la tête à répétition pour voir où il se trouve. Vous pouvez par contre l'observer sans qu'il s'en rende compte, en utilisant, par exemple, le reflet dans une vitrine ou dans la lunette arrière des automobiles stationnées, ou encore en cherchant son ombre.

Vous pouvez aussi l'observer en angle (regarder à gauche ou à droite) en vous servant de votre champ de vision périphérique.

- Frappez à la porte d'une maison inconnue. S'il n'y a pas de réponse, parlez à travers celle-ci afin de simuler une conversation.
- Si vous marchez dans un long couloir (aéroport, centre commercial, université, etc.) et qu'un suspect vous talonne, appelez la police à l'aide de votre téléphone portable. Si vous n'en avez pas et que personne ne peut vous aider, dirigez-vous vers une alarme-incendie ; l'agresseur continuera probablement son chemin. Si jamais il décide de s'en prendre à vous quand même, vous pourrez toujours dégoupiller l'alarme, et toute la sécurité viendra vous secourir.
- Lorsqu'un individu veut votre sac à main, vous pouvez le jeter dans la boîte aux lettres la plus proche. Vous pourrez en reprendre possession par la suite en vous adressant au bureau de poste.
- Si vous êtes à pied et que vous croyez être suivi par une voiture, revenez sur vos pas et dirigez-vous vers un lieu public afin de vous mêler à la foule. Demandez de l'aide. Tentez, si possible, de prendre en note le numéro d'immatriculation de la voiture.
- Si votre assaillant vous poursuit la nuit et que vous ne trouvez pas de lieu sécuritaire, commencez à marcher plus rapidement pour finir au pas de course. Ne courez surtout pas jusqu'à épuisement, car vous ne devez en aucun cas être à la merci de votre poursuivant.
- Si vous ne pouvez pas distancer votre agresseur, faites-lui face et criez très fort. Il ne s'attendra pas du tout à cette réaction et vous profiterez de l'effet de surprise. Demeurez sur vos gardes, ne le provoquez pas et ne lui montrez pas vos intentions.

Dans les transports en commun

- Lorsque vous attendez le métro ou l'autobus, placez-vous dos à un mur, de manière à éviter toute attaque par-derrière.
- Dans le métro, marchez loin des murs, au centre des corridors.
- Ne restez jamais en arrêt dans les escaliers mécaniques.
- Lorsque vous attendez le métro, tenez-vous toujours près des téléphones de secours ou des extincteurs.
- Dans les voitures de métro, choisissez un siège seul, opposé à la porte qui s'ouvre, de façon à pouvoir observer les entrées et les sorties des passagers.
- Si vous préférez rester debout, demeurez près du frein d'urgence et de l'interphone, pour communiquer avec le chauffeur en cas de besoin.
- En autobus, évitez de vous asseoir près des groupes de jeunes à l'arrière ; choisissez plutôt une place près du chauffeur.
- En autobus, optez pour des arrêts achalandés (par exemple, près d'un dépanneur) plutôt que de sortir à un arrêt isolé.

En vélo

- Avant de partir en randonnée, assurez-vous que votre vélo soit en bon état.
- Évitez les pistes cyclables isolées.
- Évitez de porter des écouteurs.
- Si vous avez une crevaison, rendez-vous dans un endroit public avant de la réparer.
- Si vous êtes suivi, changez de direction en gardant votre calme, afin d'éviter une chute. Dirigez-vous vers un lieu public pour demander de l'aide.
- Le soir, vous pouvez munir votre vélo d'un phare rouge à piles pour attirer l'attention.

À l'entraînement

- L'endroit le plus sécuritaire pour s'entraîner est à l'intérieur.
- Ne portez jamais deux écouteurs au cours de vos activités sportives à l'extérieur (course à pied, marche, vélo, patin à roues alignées, etc.), car un agresseur pourrait vous surprendre. Prenez l'habitude d'utiliser les écouteurs d'un côté seulement.
- Pratiquez vos activités extérieures en groupe plutôt que seul.
- Ne soyez pas prévisible : variez l'heure et le trajet de vos entraînements.
- Évitez les endroits isolés.
- Soyez alerte en tout temps.
- Dans les centres sportifs, évitez de rester seul dans les vestiaires.

Au guichet bancaire

- Le soir, optez idéalement pour des guichets situés à l'intérieur d'un magasin, d'un dépanneur ou d'un hôtel plutôt que dans une banque isolée.
- Arrivé sur les lieux, verrouillez votre portière et apportez seulement votre carte de guichet avec vous.
- Si vous croyez qu'il y a un rôdeur ou si vous pressentez un danger quelconque, n'hésitez pas à annuler votre transaction et à quitter les lieux.
- Au guichet automatique, placez-vous de façon à cacher l'écran.
- Effectuez vos opérations rapidement, et ensuite retournez-vous afin d'observer derrière vous.
- Les relevés d'opération contiennent des informations pouvant être utiles aux voleurs : emportez-les toujours avec vous.

- Au lieu d'utiliser le service de mise à jour du livret au guichet, optez plutôt pour le relevé mensuel de vos transactions bancaires.
- Évitez de payer vos factures au guichet; faites-le par téléphone ou par Internet.
- Comptez votre argent seulement une fois en sécurité dans votre voiture.
- Ne choisissez pas un NIP ayant un rapport avec votre date de naissance ou encore votre numéro d'assurance sociale ou de téléphone.
- Ne divulguez jamais votre NIP à quiconque.
- Refusez toute aide d'un inconnu. Si vous ne pouvez faire fonctionner le guichet, quittez tout simplement les lieux.

Dans les magasins

- Effectuez vos emplettes avec un ou des amis.
- Apportez le minimum d'argent comptant.
- Optez pour les paiements par carte de crédit et de débit. Payer comptant ou par chèque est moins sécuritaire.
- Faites vos achats durant la journée.
- Ne vous encombrez pas de trop de paquets ou de sacs.
- Faites plusieurs petits voyages plutôt qu'un seul: vos bras seraient trop chargés.
- Lors de l'achat d'un objet de valeur (chaîne stéréo, téléviseur, lecteur vidéo, etc.) que vous rapportez vous-même à la maison, faites inscrire vos initiales sur la facture. Évitez de mentionner votre adresse, car il serait trop facile pour quelqu'un de mettre la main sur la facture et d'aller voler vos biens.
- Faites livrer vos gros achats à votre résidence.

- Lorsque vous êtes seul, évitez de porter des bijoux de valeur et habillez-vous de façon à ne pas attirer les regards. Plus vous paraîtrez aisé, plus vous serez considéré comme une cible.
- Rangez vos achats dans le coffre arrière de votre automobile.
- Faites les achats les plus coûteux en dernier. Ils seront ainsi avec vous ou dans votre voiture moins longtemps.
- Si vous êtes suivi, allez trouver un agent de sécurité et pointez-lui le suspect.
- Si vous ne trouvez pas d'agent, entrez à l'intérieur d'une boutique et faites appel au personnel sur place.
- Si vous êtes ou avez été suivi, assurez-vous qu'un agent de sécurité vous escorte jusqu'à votre voiture.
- Si vous êtes poursuivi alors que vous avez des paquets dans les mains, laissez-les tomber par terre. Vous pourrez ainsi courir plus rapidement ou vous défendre plus efficacement.
- Ne laissez jamais votre sac à main dans les paniers d'épicerie, les chariots de supermarché ou sur les comptoirs.
- Soyez à l'affût de tout ce qui se déroule autour de vous : les criminels sont conscients que les consommateurs sont distraits et préoccupés par leurs emplettes.

Dans les toilettes publiques

- Ouvrez toujours les portes de tous les cabinets de toilette, car les voyeurs montent souvent sur le siège pour éviter qu'on ne voie leurs pieds.
- Choisissez le cabinet le plus près de la porte.
- N'accrochez rien aux crochets des portes de cabinet, car il serait trop facile pour un inconnu de tendre le bras et de prendre vos biens. Placez-les plutôt sur le réservoir, sur le distributeur de papier hygiénique ou sur vos jambes, quand vous êtes assis.

Dans les ascenseurs

- Gardez toujours dans vos mains vos clés ou tout objet pouvant servir à vous défendre.
- Ayez l'air confiant, sûr de vous, et restez sur vos gardes.
- Si possible, tenez-vous près de la porte, du côté des boutons.
- Lorsqu'un inconnu entre après vous, demandez-lui sur un ton autoritaire à quel étage il désire s'arrêter.
- Si vous êtes dans une cabine avec un individu qui ne vous inspire pas confiance ou dont la présence vous rend mal à l'aise, appuyez sur le bouton de l'étage suivant, pour sortir le plus tôt possible. Si toutefois vous décidez d'y rester, vous pouvez placer votre doigt sur le bouton d'urgence et rester en alerte.

Dans les bars et les discothèques

- Évitez de les fréquenter lorsque vous êtes seul.
- N'acceptez pas qu'un inconnu vous offre un verre à moins de voir le barman vous le servir.
- Évitez de danser dans un endroit isolé (sur une passerelle, près des haut-parleurs, etc.). Demeurez plutôt près d'un groupe.
- Lorsque vous vous rendez aux toilettes, ne laissez jamais votre consommation sans surveillance. Apportez-la plutôt ou bien finissez-la, afin d'éviter qu'un agresseur n'ajoute à votre insu une drogue quelconque (*juicy*, *fuel*, *fly*, *speed*, I, EX, GHB, MDMA, etc.).
- Demandez à un ami de vous accompagner aux toilettes.
- N'hésitez pas à avertir un portier lorsqu'un individu vous importune.
- Assurez-vous d'être escorté à votre voiture par quelqu'un que vous connaissez très bien.

- Prévoyez un service de raccompagnement pour la fin de la soirée (ami ou groupe d'amis, taxi).
- Évitez de quitter l'endroit avec un individu rencontré le premier soir.

Dans les agences de rencontre

- Avant d'utiliser les services d'une agence de rencontre, vérifiez depuis combien de temps elle est dans les affaires.
- Lisez bien toutes les clauses avant de signer un contrat, surtout les petits caractères.
- Vérifiez si l'agence fait des recherches sur les antécédents des clients, incluant leur passé criminel.
- Demandez que les termes utilisés dans les descriptions des personnes que vous pourriez rencontrer (homme d'affaires, professionnel, etc.) soient bien expliqués, et exigez que les informations soient claires et précises.
- Insistez pour que les rencontres se déroulent dans des lieux publics.
- Soyez autonome dans vos déplacements et faites les rencontres directement dans les lieux prévus.

En voyage

- En voyage, le risque d'être agressé est accru. En effet, les touristes sont des cibles intéressantes pour les agresseurs et les voleurs qui sont conscients que la plupart des voyageurs ont en leur possession des sommes d'argent importantes. Mettez donc en application les nombreux conseils préventifs mentionnés précédemment.
- Si possible, faites retenir votre courrier par le bureau de poste de votre quartier, ou demandez à un voisin de confiance de le ramasser pendant votre absence.

- Pour des absences de plus d'une semaine, faites tondre le gazon ou déneiger l'entrée.
- Pour un séjour de longue durée, avertissez la police de votre absence afin qu'elle puisse patrouiller plus régulièrement dans votre quartier.
- Si vous laissez une automobile à la maison, faites-la déplacer à l'occasion par une personne sûre (voisin ou ami).
- Si vous ne pouvez pas laisser d'automobile dans votre entrée, demandez à un voisin d'y garer la sienne.
- En ce qui concerne la réservation d'un hôtel, nous vous invitons à visiter le site Tripadvisor.com. Vous y trouverez des commentaires sur les lieux ainsi que certaines recommandations.
- Il est fortement conseillé d'opter pour un voyage en groupe. Un itinéraire est établi et un guide vous indiquera les endroits à risque à éviter.
- Il est également préférable d'opter pour un forfait voyage tout inclus.
- Avant votre départ, faites des photocopies de tous vos documents de voyage importants : chèques de voyage, cartes de crédit, billets d'avion, passeport, etc. Laissez-en une copie à quelqu'un avec qui vous pourrez communiquer en cas de perte ou de vol de vos originaux.
- Lors d'un long voyage, fixez votre itinéraire à l'avance et déterminez les arrêts, pour éviter de vous égarer et de vous retrouver dans un quartier inconnu.
- N'emportez pas de bijoux de valeur. Si vous devez absolument en porter, optez pour des imitations.
- Évitez de transporter une importante somme d'argent. Ayez plutôt en votre possession des cartes de crédit.
- Ne signez vos chèques de voyage qu'au moment de régler vos achats.

- À l'aéroport, verrouillez vos valises.
- Assurez-vous qu'on ne puisse lire votre nom et votre adresse sur vos bagages ; retournez et repliez les étiquettes d'identification.
- Lorsque vous louez un véhicule, exigez qu'il n'affiche aucun logo de la compagnie de location : cela pourrait trop facilement révéler que vous êtes un touriste.
- Lorsque vous vous rendez en Floride pour un séjour prolongé avec votre voiture personnelle, vous pouvez demander une plaque d'immatriculation temporaire de cet État. Cette demande s'effectue à la Société de l'assurance automobile du Québec.
- Procurez-vous une ceinture porte-monnaie plutôt que d'apporter votre portefeuille à la plage.
- Lorsque vous visitez un pays étranger, prenez contact avec l'ambassade canadienne et informez-la de la durée de votre séjour, de l'endroit où vous séjournez et de votre itinéraire. Si un problème survient, on pourra alors vous joindre plus facilement.

Vous voyagez seul

- Avant de partir, informez un parent ou un ami de votre itinéraire. En voyage, communiquez avec lui de façon régulière. Si jamais il n'a plus de nouvelles de vous, il pourra avertir les autorités responsables.
- Si vous louez une voiture, faites savoir le plus rapidement possible à un parent ou à un ami sa marque et sa couleur, ainsi que le numéro de la plaque d'immatriculation.
- Portez un anneau de mariage. Si un inconnu entame une discussion en cours de route, mentionnez-lui que votre conjoint vous attend à destination.
- Lorsque vous visitez un pays étranger, informez-vous de ses us et coutumes pour éviter de choquer ses habitants.

- Lorsque vous réservez votre billet d'avion, optez pour un vol qui arrivera à destination durant la journée plutôt qu'en soirée.
- En train ou en autobus, prévoyez d'arriver le jour plutôt qu'à la tombée de la nuit.
- Informez-vous auprès de votre agence de voyages afin de déterminer les pays qui sont les moins dangereux pour les personnes voyageant seules.

À l'hôtel

- À votre arrivée à la réception, gardez toujours un œil sur vos bagages.
- Idéalement, optez pour une chambre à partir du troisième étage en montant, qui donne sur la façade avant de l'hôtel ou sur la piscine, et située loin des ascenseurs et des escaliers.
- Assurez-vous que c'est bien un employé de l'hôtel qui prend vos bagages en charge.
- Demandez-lui d'inspecter votre chambre pendant que vous attendez dans le couloir.
- Déposez tous vos objets de valeur dans un coffret de sûreté de l'hôtel.
- Laissez-y également une carte de crédit et un peu d'argent comptant, en cas d'urgence.
- Lorsque vous êtes dans votre chambre, assurez-vous que les fenêtres, la porte-fenêtre ainsi que la porte principale soient bien verrouillées.
- Pour sécuriser votre porte et empêcher son ouverture, utilisez une serrure portative ainsi qu'un bloc triangulaire au bas de la porte.
- Avant d'ouvrir la porte à un employé de l'hôtel, assurez-vous auprès de la réception qu'il est autorisé à venir dans votre chambre.

- Lorsque vous sortez, laissez le téléviseur ou la radio fonctionner, pour faire croire que quelqu'un est présent dans la chambre.
- Vous pouvez aussi utiliser l'affiche «Ne pas déranger» indiquant que la chambre est actuellement occupée.
- En cas de perte de votre clé de chambre, informez-en l'administration de l'hôtel le plus rapidement possible.

En camping

- Évitez de vous promener seul dans la nature.
- Si des gens s'approchent de votre campement, restez sur vos gardes. Usez de discrétion dans vos conversations.
- Voyez si ces personnes adoptent le comportement du campeur type : détendu et à l'aise. Tentez de voir si elles possèdent de l'équipement de camping et si elles portent des vêtements de plein air. En tout temps, restez alerte.
- Lorsque des gens érigent leur campement trop près du vôtre, déplacez celui que vous avez monté. Il s'agit bien sûr d'un inconvénient, mais votre plaisir et votre quiétude sont prioritaires. Vous devez aussi informer la sécurité des événements survenus.
- Lorsque vous dormez dans une tente, elle doit être équipée d'un toit opaque. Ainsi, un malfaiteur ne pourra savoir combien de femmes et d'hommes se trouvent à l'intérieur.
- Les crimes les plus fréquemment rapportés en camping sont les vols d'équipement. Vous devez donc bien le ranger afin de diminuer les risques.
- En camping, la meilleure alarme est un chien.

Protégez votre identité

Plusieurs policiers affirment que le vol d'identité est un crime en pleine croissance. Au Canada, en 2005, on a recensé 11 042 plaintes relatives à ce type de délit. Par contre, ce chiffre ne représente qu'environ 20 % du nombre total de vols d'identité. En effet, certaines personnes ne portent pas plainte ; d'autres mettent beaucoup de temps à se rendre compte qu'elles ont été victimes d'une fraude (par exemple, dans le cas des promotions « Achetez maintenant et payez dans un an »). Ainsi, cette année-là, c'est plutôt 50 000 Canadiens à qui on aurait volé des renseignements personnels et de l'argent.

Des indices

Certains indices peuvent vous mettre la puce à l'oreille. En voici quelques-uns.

- Vous ne recevez plus de courrier.
- De l'argent a été retiré de votre compte sans votre approbation.
- Vous recevez des relevés affichant des transactions que vous n'avez pas effectuées.
- Un créancier vous informe qu'il a reçu une demande de carte de crédit à votre nom, alors que vous n'avez pas fait cette demande.

- Un crédit vous est refusé pour un motif qui ne correspond pas à votre situation.
- Une agence de remboursement exige le paiement d'achats facturés à un compte que vous n'avez jamais ouvert.

Des conseils

Certains gestes pratiques permettent de prévenir ce type de crimes. Voici quelques suggestions.

Conseils généraux

- Faites une photocopie du contenu de votre portefeuille. Cette précaution s'avérera très utile en cas de perte ou de vol. De plus, lorsque vous voyagez, il est conseillé de conserver une photocopie de votre passeport.
- Ne laissez jamais votre portefeuille dans la voiture. Au travail, conservez-le sur vous ou rangez-le dans un endroit fermé et protégé par un code que vous êtes seul à connaître.
- Gardez à la maison (plutôt que dans votre portefeuille) votre carte d'assurance sociale et votre carte d'hôpital, car elles contiennent beaucoup de renseignements importants. Selon la loi, vous ne devez fournir votre numéro d'assurance sociale (NAS) qu'aux entreprises qui en ont besoin pour des raisons fiscales (employeurs et institutions financières, par exemple) ainsi qu'à Hydro-Québec.
- Ne donnez vos numéros de carte d'assurance maladie et de permis de conduire qu'aux professionnels autorisés à les demander.
- Dressez une liste des numéros de téléphone des sociétés émettrices de vos cartes de crédit, puis conservez-la à la maison.
- Assurez-vous que personne ne peut avoir accès à votre boîte aux lettres. À la suite d'un déménagement, n'oubliez pas de

faire suivre votre courrier. En ce qui concerne vos transactions bancaires, optez pour les relevés électroniques mensuels.

- Avant de mettre au recyclage des documents sur lesquels apparaissent des renseignements personnels, assurez-vous de les déchiqueter.
- Quand vous quittez un hôtel qui utilise des cartes d'accès aux chambres, ne retournez pas la vôtre à votre départ. Il est plutôt conseillé de l'emporter avec vous et de la détruire, puisqu'elle contient les informations que vous avez fournies à votre arrivée : adresse, numéro de carte de crédit, date d'expiration, etc. Ainsi, toute personne détenant un lecteur de cartes pourrait avoir accès à ces informations sans problème.

Chèques

- Lorsque vous commandez des chèques, n'y faites inscrire que vos initiales au lieu de vos nom et prénom. Si un individu vole votre livret, il ignorera si vous signez habituellement avec vos initiales ou votre nom complet, contrairement à la banque qui, elle, le saura.
- Lorsque vous faites un chèque pour payer votre carte de crédit, n'écrivez pas le numéro complet de celle-ci. Inscrivez seulement les quatre derniers chiffres, puisque la compagnie de crédit connaît les autres. Ainsi, les personnes qui manipuleront votre chèque n'auront pas accès à votre numéro de compte.
- Faites inscrire sur vos chèques votre numéro de téléphone au travail au lieu de celui de la maison.
- Si vous avez une case postale, utilisez-la plutôt que votre adresse à la maison.
- Ne faites jamais imprimer votre numéro d'assurance sociale sur vos chèques.

Carte de crédit et de débit

- Ne signez pas le verso de votre carte de crédit. Écrivez plutôt : «Pour utilisation, pièce d'identité avec photo requise.»
- Ne prêtez jamais vos cartes de crédit, de débit ou d'identité.
- Lorsque vous choisissez votre NIP, évitez les combinaisons faciles à trouver pour les voleurs (votre année de naissance, votre âge ou celui de vos proches, votre numéro d'assurance sociale). De plus, évitez les suites de chiffres trop simples, comme 1234. Ne l'écrivez pas et ne le dévoilez jamais.
- Faites attention que personne ne voie votre NIP lorsque vous le composez.
- Ne jetez pas vos relevés dans les corbeilles près des guichets automatiques.
- Lorsque vous effectuez une transaction avec votre carte de crédit ou de débit, ne la perdez jamais de vue. Certains fraudeurs clonent les cartes à l'aide d'un dispositif installé près du terminal de paiement direct.
- Évitez de payer avec votre carte de débit si vous remarquez que le clavier n'est pas solidement fixé à la caisse ou à la boîte de paiement. Certains fraudeurs changent le clavier et installent le leur, qui enregistre l'information contenue sur la carte utilisée.
- Demandez, au moins une fois par année, un relevé de votre dossier de crédit.
- Choisissez un mot de passe et exigez des institutions et des entreprises avec lesquelles vous faites affaire qu'elles vous demandent l'autorisation avant d'effectuer une transaction ou d'apporter une modification à votre compte.
- Ayez une limite de crédit qui correspond à vos besoins, sans plus.

- Faites réduire le montant des retraits d'argent et des achats pouvant être effectués quotidiennement à l'aide de votre carte de débit.

Des démarches

Que faire si vous êtes victime d'un vol d'identité? Voici une liste de démarches à entreprendre.

- Annulez vos cartes de crédit et de débit auprès des institutions qui les ont émises. Procurez-vous de nouvelles cartes et changez vos mots de passe et vos NIP.
- Contactez immédiatement le poste de police qui s'occupe du secteur où vos cartes ont été volées ou perdues, ainsi que des fraudes commises, afin de porter plainte.
- Appelez les agences de crédit Equifax (1 800 465-7166) et TransUnion (1 877 713-3393). Elles ajouteront un avis de fraude à votre dossier. Ainsi, elles communiqueront avec vous si quelqu'un demande une vérification pour accorder un crédit à votre nom.
- Joignez les émetteurs de toutes vos cartes d'identité perdues ou volées et informez-les de la situation.
- Si vous pensez que quelqu'un détourne votre courrier, contactez la Société canadienne des postes (1 888 550-6333).
- Téléphonez au centre d'appels PhoneBusters (1 888 495-8501), à partir duquel la GRC procède à la cueillette des renseignements relatifs aux vols d'identité afin d'établir des stratégies pour contrer le phénomène.
- Écrivez toutes les démarches que vous faites, le nom des personnes à qui vous parlez ainsi que les sommes que vous dépensez pour rétablir la situation, et ce, de façon méthodique et rapide.

La sécurité informatique

Dans le monde réel, il faut se protéger contre des agressions de différentes natures. Mais dans le monde virtuel, nous ne sommes pas non plus à l'abri des attaques. Comment les prévenir?

Protégez votre identité électronique

Choisissez différents numéros d'identification et mots de passe pour différents comptes. Il est bon de compliquer les mots de passe en combinant des lettres et des chiffres, ainsi que de les changer régulièrement.

Faites la mise à jour régulière de votre système d'exploitation et de vos programmes

Les créateurs de logiciels découvrent souvent des failles dans leurs programmes. Si vous ne téléchargez pas les mises à jour des systèmes, vous risquez de voir votre ordinateur infecté par un virus ou un logiciel espion, c'est-à-dire un logiciel malveillant qui s'installe dans un ordinateur dans le but de transmettre les données qui se trouvent dans le disque dur au créateur du logiciel espion.

Activez votre pare-feu

Les pare-feu constituent la première ligne de cyberdéfense: ils bloquent les connexions à des sites inconnus ou non autorisés et interdisent l'accès à certains virus et pirates.

Installez des logiciels antivirus et des anti-logiciels espions, et mettez-les à jour

De nouveaux virus apparaissent tous les jours sur Internet. Ils peuvent endommager votre ordinateur, effacer vos fichiers ou voler des informations importantes. Certains virus enregistrent tout ce que vous tapez – y compris les mots de passe et les renseignements bancaires ou personnels – et les renvoient au créateur du virus.

Sauvegardez vos fichiers

Protégez vos fichiers importants contre les virus et les dommages matériels (inondations et incendies) en les sauvegardant et en les stockant ailleurs.

Protégez votre réseau sans fil

Les réseaux sans fil (Wi-Fi) sont vulnérables à l'intrusion s'ils ne sont pas bien protégés après l'installation. Faites-le vous-même ou consultez un spécialiste lorsque vous achetez un routeur de réseau sans fil.

Effacez les courriels d'origine inconnue

Si vous recevez des courriels d'une adresse inconnue, effacez-les immédiatement. Ne téléchargez jamais de fichiers joints provenant d'inconnus et ne suivez jamais de liens qui mènent à des sites Web affichés dans ces courriels : ils pourraient infecter votre ordinateur avec un virus ou un logiciel espion.

Appelez une personne compétente pour obtenir de l'aide

Appelez la police locale si vous soupçonnez l'existence d'un crime informatique, d'un vol d'identité ou d'une fraude commerciale.

Pour la maintenance ou l'installation d'un logiciel dans votre ordinateur, faites appel à un technicien en informatique local.

Choisissez un fournisseur d'accès Internet favorable à la famille

Certains fournisseurs aident les parents à limiter l'accès de leurs enfants à Internet. La plupart de ces fournisseurs mettent en place un filtre antipourriel pour les comptes électroniques de leurs clients. Si votre fournisseur d'accès n'en offre pas, installez un filtre vous-même pour bloquer les courriels indésirables des comptes de votre famille. Toutefois, ces filtres ne doivent pas faire tout le travail. Il est aussi important d'apprendre aux jeunes à se protéger sur Internet afin de les aider à naviguer en toute sécurité.

Utilisez des logiciels de filtrage ou de blocage

Utilisez des logiciels de filtrage ou de blocage pour bloquer les sites Web affichant des textes et des images indésirables, ainsi que pour contrôler les activités de vos enfants en ligne. Visitez le www.education-medias.ca pour en apprendre davantage.

Vérifiez les programmes qui se trouvent dans votre ordinateur

Faites comprendre à vos enfants qu'ils ne peuvent installer de nouveaux logiciels dans votre ordinateur ou dans le leur sans vous consulter. Il est possible de bloquer des privilèges administratifs pour empêcher les jeunes d'installer quoi que ce soit, mais il vaut mieux qu'ils acceptent de suivre les règles du foyer au sujet d'Internet.

Attention à ce que vous téléchargez !

Lorsque vous téléchargez des fichiers par l'intermédiaire de programmes de partage de fichiers, il se peut que vous téléchargiez sans le savoir des logiciels malveillants. Soyez prudent et assurez-vous que tout ce que vous téléchargez – musique, films ou progiciels – soit scanné par votre logiciel antivirus.

D'autres conseils

- Limitez l'accès à votre ordinateur en y ajoutant un mot de passe au démarrage. Choisissez-le avec soin ; ainsi, en cas de vol, il sera difficile d'accéder à vos données.
- Installez, en plus d'un antivirus, un dispositif pare-feu pour empêcher les pirates informatiques d'accéder aux données de votre disque dur. Il est possible d'en télécharger un gratuitement.
- Ne choisissez pas le même code d'utilisateur pour votre courriel et sur Internet.
- Assurez-vous d'avoir un environnement sécuritaire lorsque vous effectuez des transactions. Une clé ou un petit cadenas fermé indiquent que la session est sécurisée.
- Si vous faites régulièrement des achats par Internet, procurez-vous une carte de crédit dont la limite est peu élevée et que vous réserverez à ces transactions.
- Lorsque vous vous débarrassez de votre ordinateur, assurez-vous de détruire tous les renseignements personnels qu'il contient.
- Choisissez une adresse électronique en utilisant un service de messagerie connu, comme Hotmail, Gmail ou Vidéotron.
- Votre adresse électronique ne doit pas, autant que possible, être constituée de vos nom et prénom.

- Si vous clavardez avec des inconnus, évitez de donner des informations personnelles. Si vous souhaitez rencontrer une personne que vous avez connue sur Internet, choisissez un endroit public. De plus, rendez-vous-y par vos propres moyens.
- Faites attention à ce que vous diffusez sur Internet. Il y a votre vie et votre vie privée. Il est tellement facile de penser connaître quelqu'un en le suivant sur le Web avec Facebook, Twitter, YouTube, Instagram ou LinkedIn. Posez-vous cependant cette question : est-ce nécessaire de dire où je suis et avec qui, ainsi que le pourquoi, le quand et le comment des choses ?

Se défendre contre les agressions

Un système de défense en quatre étapes

Pour éviter une agression, vous devez planifier un système de protection. Quatre étapes vous permettront de bien structurer et d'organiser efficacement votre défense :

1. Appliquer les quatre règles de sécurité ;
2. Formuler une réponse verbale ;
3. Offrir une réponse physique ;
4. Feindre.

Première étape : Appliquer les quatre règles de sécurité

Les quatre règles de sécurité que voici vous proposent un plan d'action pour structurer et organiser votre défense. Elles ont été formulées par le programme de prévention d'agression ASA Défense, qui se spécialise depuis vingt ans dans la simulation de pièges (enfants) et d'agressions (adolescents et adultes). La reproduction de situations d'agression a permis aux intervenants de bien élaborer ces règles afin que les enfants, les adolescents, les femmes et les personnes âgées puissent éviter de vivre une confrontation verbale ou physique.

Première règle

Restez toujours éloigné d'un étranger ; maintenez une distance minimale de deux mètres.

Deuxième règle

Regardez toujours l'étranger dans les yeux ; évitez de regarder par terre ou d'avoir un regard fuyant.

Troisième règle

Bougez constamment ; restez en mouvement, marchez, continuez votre chemin. Ne restez jamais immobile.

Quatrième règle

Ne parlez pas trop ; évitez d'engager une discussion.

Voici d'autres règles à suivre. Si l'on vous pose une question, répondez : **« Pourquoi ? »** Ne divulguez pas d'informations personnelles : nom, âge, adresse, numéro de téléphone, etc. Si un individu vous offre quelque chose ou vous invite à le suivre, ou encore si vous ne vous sentez pas à l'aise avec la personne qui vous parle, répondez-lui non. Le **« non »** est le signal d'alarme qui vous protégera ; il signifie : **« Je ne veux pas, je dois partir sur-le-champ. »**

Mettez en application tous les conseils de prévention, et vous éviterez la plupart des situations d'agression. Lorsqu'on analyse la grande majorité des cas d'agression, on peut conclure qu'une bonne partie de ces scénarios auraient pu être évités par de simples actions de prévention. Lorsque vous engagez une discussion avec un étranger ou lorsqu'il s'approche trop de vous, appliquez les quatre règles de sécurité vues précédemment : restez éloigné de lui, regardez-le toujours dans les yeux, bougez constamment et ne lui parlez pas trop. Si, après avoir suivi ces recommandations, vous percevez toujours la menace d'une situation d'agression, il vous faut passer à la deuxième étape de la défense.

Deuxième étape : Formuler une réponse verbale

Vous voulez maintenant ériger des barrières entre vous et l'agresseur, marquer vos limites. Vous désirez tout d'abord lui montrer que vous avez du caractère, que vous ne serez pas une cible facile, que vous êtes prêt à tout et que vous n'abandonnerez pas. Vous voulez ensuite semer le doute dans ses pensées. Vous aurait-on entendu crier ? Est-ce que quelqu'un est sur le point de vous porter secours ? La conduite est simple : vous devez dire en criant que vous n'êtes pas d'accord avec ses propos ou ses gestes. Par exemple, si un individu vous suit, vous devez accélérer le pas, changer de trottoir ou encore prendre une autre rue. Si cet individu est toujours à vos trousses, vous devez lui faire face et lui dire à voix haute : **« Que veux-tu ? Tu n'as pas le droit ! Laisse-moi tranquille ! Au secours ! À l'aide ! Va-t'en ! »**. Lorsque la réponse verbale est bien exécutée, il y a trois chances sur quatre que l'agresseur prenne la fuite. La raison est simple : il sera difficile pour lui d'aller plus loin, ou quelqu'un viendra peut-être vous secourir. Vous voulez faire naître le doute chez l'agresseur ; il ne veut en aucun cas se faire attraper. Si l'individu poursuit tout de même son action, vous devez passer à la troisième étape.

Troisième étape : Offrir une réponse physique

Si votre réponse verbale n'a pas fonctionné, l'agresseur ne respectera pas vos limites et il persistera à envahir votre périmètre de sécurité, votre espace vital. S'il s'approche et vous agrippe, vous devrez alors passer à la réponse physique : une mise en action de plusieurs techniques de coups frappés, de morsures et de griffures pour ainsi vous permettre, lorsque l'occasion se présentera, de prendre la fuite. Certaines techniques seront expliquées un peu plus loin dans le livre. Malgré votre défense, il se peut que l'agresseur arrive à vous maîtriser. Vous devez alors passer à la dernière étape.

Quatrième étape : Feindre

Il n'y a pas de recette miracle pour se défendre. Une personne qui est totalement dominée par un agresseur est sous l'emprise d'une force extrême. Il n'y a donc rien à faire physiquement pour s'en sortir. À ce moment, vous devez lui faire croire qu'il a gagné. Dites-lui que vous abandonnez et que vous vous laissez faire. Il relâchera alors quelque peu sa vigilance et son état d'alerte. Votre stratégie est d'attendre le moment opportun. À cet instant, vous réagirez en utilisant votre détermination et votre puissance au maximum. Lorsque l'agresseur croira avoir ce qu'il veut, il baissera la garde, et c'est à ce moment que vous devrez passer à l'action. Dans le cas d'une agression sexuelle, une solution serait de prendre l'initiative. Vous pouvez feindre un quelconque intérêt pour votre agresseur en lui détachant en premier lieu sa chemise, puis son pantalon. Vous pourrez par la suite réagir sans qu'il s'y attende, en créant un effet de surprise chez lui. Il n'est bien sûr pas évident d'agir de cette façon, car il est difficile de franchir la barrière de la peur. Cette démarche demande beaucoup de contrôle et de sang-froid, mais c'est un excellent moyen de faire tourner à votre avantage cette fâcheuse situation. Si vous amorcez le déshabillage, il est peu probable que l'agresseur s'y oppose. Il sera alors plus facile d'avoir accès à ses parties intimes. C'est ainsi que vous pourrez les agripper ou les frapper. Une fois son pantalon baissé, il pourra difficilement vous rattraper lorsque vous prendrez la fuite.

***

Les quatre étapes du système de défense que nous venons de décrire ne peuvent pas toujours toutes être appliquées ni suivies de façon linéaire. Certaines situations particulières exigeront parfois des réactions particulières.

Par exemple, il n'est pas évident de contrôler ses émotions lorsqu'on voit une arme blanche ou une arme à feu. Mais même dans une situation d'agression armée, vous devez mettre en application les quatre règles de sécurité. S'il n'y a pas de contact et que vous êtes dans un endroit public, vous devez vous sauver le plus rapidement possible et aller chercher de l'aide. Si un individu dans une automobile s'arrête près de vous pour vous demander son chemin (assurez-vous d'appliquer les quatre règles de sécurité), répondez-lui. Si, toutefois, il pointe sur vous une arme à feu, sauvez-vous en courant. Ne devenez jamais un otage. La tactique est différente pour une situation où il y un contact entre vous et l'agresseur, c'est-à-dire si celui-ci vous retient de force. Dans ce cas, vous devez sauter les étapes deux et trois du système de défense et vous concentrer sur la quatrième : feindre. Faites croire à l'agresseur qu'il a gagné et que vous vous laisserez faire. Dites-lui comment vous vous sentez émotionnellement : **« Arrêtez, j'ai peur ! »** ; « Vous avez gagné... » ; « Je vais me laisser faire... mais rangez votre arme ! » Vous attendrez ainsi le moment idéal pour passer à l'action. Lorsque l'agresseur est armé, votre défense est limitée, mais jouer le jeu demeure sans contredit une bonne façon de déstabiliser son scénario initial.

Maintenant, comment doit-on réagir lorsqu'il y a plusieurs agresseurs ? Statistiquement, les attaques impliquant des agresseurs multiples sont plutôt rares. Des enquêteurs, des inspecteurs et des policiers soutiennent que dans la plupart des agressions mettant en scène plusieurs complices, ceux-ci se font un jour arrêter : il y a toujours un membre du groupe qui se vante de son « exploit » à ses pairs. Une jeune femme nous a également raconté qu'elle s'était fait prendre dans un piège où trois hommes sont apparus et l'ont surprise. Au moment de l'agression, un des membres de la bande a figé et s'est sauvé, laissant stupéfaits les deux autres, qui ont fui peu après à leur tour. La façon de réagir est d'utiliser les complices (ceux qui vous retiennent) et de leur parler, de leur dire comment vous vous sentez, de mentionner que ce qu'ils font est ignoble : « C'est affreux et dégueulasse, ce que vous me faites » ; **« Vous n'avez pas le droit ! »** ; « Imaginez si j'étais votre mère ou votre sœur ! » ; « Vous allez vous faire arrêter ! ». Sachez que les complices se sentent un peu en retrait. Ils ont l'impression d'être des observateurs et ont le sentiment que ce qu'ils font est moins grave. Ils sont, par le fait même, un peu moins entreprenants que le leader du groupe qui est à l'origine de l'action et qui prend le contrôle de la situation. Nous voulons que les complices doutent de leurs gestes et qu'ils réfléchissent aux conséquences de leurs actions. Notre but ultime : qu'ils fuient. Une fois qu'ils auront décidé de se sauver, il y a de fortes chances que le leader fasse de même. Si le chef poursuit ses actes barbares, commencez à feindre. Dites-lui qu'il a gagné, que vous vous sentez dorénavant plus à l'aise puisque vous êtes seul avec lui, etc. Au moment où il relâchera sa vigilance, passez à l'action afin de créer une porte de sortie pour votre fuite.

Une autre situation est celle où l'agresseur est quelqu'un de très méthodique. Il anticipe alors tout ce qui pourrait se produire avec une victime potentielle. Il observe sa cible, note ses déplacements de façon à imaginer un scénario efficace. Un agresseur récidiviste (vous n'êtes donc pas sa première victime) sera assurément plus à l'aise, donc moins nerveux. Il aura plus confiance en ses moyens. Il est fort probable que tous ses gestes seront calculés avec précision. La solution serait de briser le scénario. Pour ce faire, vous n'avez qu'à mettre en application les quatre étapes de la défense afin de contrer ses plans. Le fait d'opposer ce type de résistance créera l'incertitude chez l'agresseur, provoquant ainsi chez lui une hésitation, appelée effet de surprise, comparable au figement chez la victime. À ce stade, celle-ci est avantagée, car c'est maintenant son assaillant qui est immobile. Il faut comprendre que cette situation ne durera que quelques secondes, et c'est à ce moment qu'il faut entrer en action afin de créer l'occasion favorable à la fuite. Si vous lui laissez le temps de revenir à la réalité, l'effet de surprise aura disparu et il sera trop tard pour réagir.

La réponse physique

Même si vous appliquez les conseils préventifs à cent pour cent, un certain risque d'agression existe toujours. Si la démarche préventive ne fonctionne pas et que vous ne pouvez éviter la confrontation physique, il faut y être préparé. Pour ce faire, vous devez posséder un certain bagage de connaissances techniques. Toutefois, ce n'est pas seulement cet aspect qui compte, mais aussi la mise en action. Peu importe l'efficacité de votre technique, si vous figez, elle vous sera inutile. À l'opposé, si celle-ci est plus ou moins efficace, mais que vous réagissez, vous pourrez aspirer à la victoire. Quoi qu'il en soit, il faut en tout temps garder votre sang-froid.

Soulignons que si vous décidez de lutter, vous devez le faire jusqu'au bout. Toutefois, il est important de faire appel à son jugement. Dans le cas d'une agression pour vol, par exemple, si vous vous rendez compte que votre agresseur a le dessus sur vous, donnez-lui ce qu'il veut. Il vaut mieux le faire tout de suite que de risquer de graves blessures.

La mise en action

On croit qu'une personne qui possède une bonne base des différentes techniques d'autodéfense pourra y recourir pour se défendre. Pourtant, nombreux sont ceux qui auront de la difficulté à les utiliser adéquatement dans une situation réelle. En fait, un facteur tout aussi important entre en jeu : la mise en action. Il n'est pas nécessaire de maîtriser de nombreuses techniques à la fois complexes et longues à développer pour bien se défendre. Il suffit de savoir porter aux endroits stratégiques des coups simples et efficaces, de façon à faire prendre conscience à l'agresseur qu'il est mieux pour lui d'en rester là. Vous devez lui démontrer que vous avez du caractère, que vous êtes prêt à tout pour vous défendre et que vous en êtes capable. Cela ne lui laissera qu'une seule possibilité : la fuite.

La réussite d'une défense efficace commence avec la mise en application des règles de prévention, afin d'éviter la confrontation. Le tout doit être accompagné d'un contrôle de la peur et d'une mise en action rapide. C'est pourquoi il est fondamental de développer un instinct de survie et de passer à l'action le plus rapidement et le plus efficacement possible, créant de ce fait un effet de surprise chez l'agresseur. Une défense efficace se traduit alors en une mise en action (défoulement émotif et physique) rapide.

Pourquoi fige-t-on devant un agresseur ?

Devant un agresseur, plusieurs changements brusques du métabolisme surviennent : montée rapide du rythme des pulsations cardiaques, augmentation de la pression artérielle, élévation du taux d'adrénaline (hormone d'activation), dilatation des pupilles et gorge sèche. Ces modifications soudaines et exceptionnelles de l'organisme, ce déséquilibre radical, apparaissent chez la personne confrontée à un danger, provoquant chez elle un état d'immobilité.

Comment revenir à la réalité ?

Ce que vit l'organisme lors d'une agression est inhabituel. Afin de contrer la panique qui l'envahit, la personne agressée doit prendre une grande inspiration tout en analysant la situation, puis crier « **Non !** » le plus fort possible. Le fait d'associer un terme de négation au cri assure une bonne exécution de l'action, car lorsqu'on fige, il est difficile de crier : rien ne sort.

Une profonde inspiration entraînera une baisse de la tension (stress). Quant à l'action de crier, elle aura pour effet de surprendre votre agresseur (l'effet de surprise), et elle vous permettra de revenir à la réalité pour ainsi entreprendre une action rapide (la mise en action : réponse verbale, coups frappés, fuite). Le fait de crier contre votre agresseur fera monter en vous l'agressivité nécessaire pour être encore plus efficace dans votre défense. Le cri, combiné à une bonne réponse verbale, sèmera le doute chez l'assaillant, l'amenant à prendre la fuite dans 75 % des cas.

La position d'autodéfense

Lors d'une agression, le corps se retrouve constamment en déséquilibre. C'est pourquoi vous devez adopter une position stable et solide qui vous permettra d'offrir une résistance aux attaques de votre agresseur :

- Les jambes sont écartées environ à la largeur des épaules, l'une devant l'autre, légèrement fléchies de façon à absorber l'impact des poussées de l'agresseur ;
- Les bras sont allongés. Cette position est très importante puisqu'elle permet de rétablir l'équilibre ;
- Les mains sont ouvertes, paumes vers l'avant, à la hauteur du visage, de façon à parer les coups frappés.

Vous ne devez en aucun cas lutter physiquement contre votre agresseur, c'est-à-dire tenter de le pousser et de le faire trébucher. Votre défense se doit d'être rapide et efficace. Vous pouvez répondre aux exigences de cette tâche par des coups frappés et par la fuite, que nous aborderons un peu plus loin.

Le contrôle de la bagarre chez les adultes

Très peu de personnes aiment la bagarre. Comme il est mentionné dès les premières pages de ce livre, l'autodéfense ne se résume pas seulement à une défense physique. Il faut, en premier lieu, penser à la prévention générale. En revanche, lorsque le conflit est imminent, nous devons réagir de façon appropriée.

Dans les centres du Groupe Karaté Sportif du Québec, la résolution pacifique des conflits est enseignée. Un des ateliers consiste à simuler une agression verbale ou une dispute émotive. Les adultes doivent dire la phrase suivante en adoptant la position d'autodéfense : **« Restons cool ! Je ne veux pas de problème, je ne veux pas me battre ! Restons cool. »**

Ensuite, ils doivent reculer en gardant un contact visuel avec l'adversaire, puis se sauver pour aller chercher de l'aide et se réfugier. Ces simples phrases visent à exprimer son caractère, à mettre une barrière entre soi et son adversaire, mais aussi à affronter ses peurs. On veut également semer l'instabilité et le doute chez l'agresseur, pour ainsi le dissuader de franchir le point de non-retour : une bagarre inévitable.

Les armes

Les armes potentielles

Regardez les vêtements et les accessoires que vous portez ainsi que tout ce qui se trouve dans votre sac et dans vos poches. Pensez à ce qui pourrait vous servir pour vous défendre. Observez également les objets qui vous entourent ; plusieurs d'entre eux peuvent vous aider à vous sortir de situations dangereuses.

- Des clés placées entre vos doigts feront peur à la plupart des agresseurs.

- Un crayon utilisé pour piquer un des points vitaux (les principaux sont les yeux, la gorge, le nez, les tempes et les parties intimes) vous laissera le temps de prendre la fuite.
- Un journal enroulé ou une revue se transforment en une arme redoutable : ces objets allongent votre portée.
- Des souliers à talons hauts dans vos mains peuvent devenir une arme dangereuse.
- Un sac à main projeté à la figure de l'agresseur permet de détourner son attention et vous laisse ainsi le choix de poursuivre votre défense avec un enchaînement de coups frappés ou de prendre la fuite.
- Une simple bouteille de fixatif en aérosol pour les cheveux risque d'effrayer les individus mal intentionnés.
- Le port d'une canne dans la rue, lorsque vous êtes seule, dissuadera de nombreux agresseurs.
- Un chapeau lancé à la figure de votre assaillant détournera son attention, ce qui vous donnera la possibilité de passer à un enchaînement de coups frappés ou de prendre la fuite.
- Une ceinture enroulée autour de votre poignet augmentera l'effet des coups frappés. Vous pourrez également la faire tourner comme un lasso pour faire peur à l'agresseur.
- Une chaise, une lampe, un bibelot... laissez aller votre imagination et faites preuve de débrouillardise !

Les armes naturelles

Vous possédez une panoplie d'armes naturelles dont vous ignorez souvent la simplicité d'utilisation. En voici une liste :

- Donner des coups de tête ;
- Mordre ;
- Cracher au visage ;
- Tirer les cheveux ;

- Égratigner ;
- Piquer les yeux ;
- Frapper sur les oreilles avec les mains ouvertes ;
- Utiliser tous les coups frappés avec les mains.

Les coups frappés

Notre expérience dans le domaine de l'autoprotection nous a permis d'établir quatre différentes techniques nécessitant le recours aux membres supérieurs et deux aux membres inférieurs. Nous sommes conscients qu'il existe une multitude d'autres coups frappés, mais les six que nous décrivons présentent le meilleur rapport facilité-efficacité. Pour bien les visualiser et pour rendre leur pratique plus efficace, vous devez lire avec attention la description de ces techniques.

Souvenez-vous du principe suivant : les coups portés à une cible quelconque se doivent d'être donnés brusquement et rapidement, de manière à créer un impact efficace. Vous devez éviter de pousser votre agresseur, ou encore de lutter ou de vous tirailler avec lui, car son poids et sa force seront souvent à son avantage. Concentrez-vous sur les frappes.

Le coup à la gorge

La main qui frappe est en position d'entonnoir. L'impact a lieu entre l'index et le pouce. Vous devez donc espacer au maximum ces deux doigts et frapper avec force et rapidité au niveau de la gorge.

Afin de vérifier l'efficacité de ce coup, placez votre main en position d'entonnoir et dirigez-la à la hauteur de votre gorge. Frappez doucement une première fois, puis augmentez graduellement l'intensité de la force. Imaginez maintenant l'effet d'un tel coup lorsqu'il est porté avec une puissance maximale.

Dorénavant, remplacez la gifle par un coup à la gorge. Ce geste est plus efficace parce qu'il crée une douleur instantanée.

Le coup de poing

Ce coup est porté avec les deux plus grosses jointures de la main : celles aux extrémités de l'index et du majeur. Le poing se doit d'être bien fermé, les doigts repliés sur la paume de la main avec le pouce qui les recouvre.

Le poignet doit être droit afin de devenir le prolongement de l'avant-bras. Une mauvaise position lors de l'impact peut entraîner une blessure.

Ce coup frappé est appliqué de façon directe et linéaire, et sera difficilement perçu et évité par votre agresseur, car il n'est pas évident d'évaluer la distance d'un coup porté de cette façon.

Le coup de la hache

Ce coup est sans contredit l'un des plus efficaces que l'on puisse maîtriser avec les membres supérieurs. Lors de son exécution, le poing doit être fermé de la même manière que pour le coup de poing. Ce coup est porté avec la partie latérale du poing, du côté du pouce. Pour le réaliser, vous devez adopter un mouvement circulaire du bras qui va de l'arrière vers l'avant.

Cette technique est appliquée préférablement au niveau de la tempe ou de la gorge. Rappelez-vous cependant que lors de son exécution, vous devez garder une légère flexion du coude pour éviter qu'il ne se retrouve en hyperextension (trop grand allongement) lors de l'impact, car cela pourrait entraîner une blessure.

Le coup du marteau

Placez vos mains l'une dans l'autre pour doubler la force de l'impact. Ensuite, montez vos bras au-dessus de votre tête et descendez-les rapidement afin de créer un impact au niveau du nez de l'agresseur avec vos mains jointes. Notez que le coup du marteau peut également être pratiqué en utilisant un seul poing.

Le coup de pied frontal aux parties

Ce coup est porté avec le dessus du pied et se donne de la même manière qu'un coup de pied sur un ballon. Faites attention : pendant l'exécution de cette technique, tout le poids de votre corps portera sur une seule jambe, ce qui pourrait entraîner un déséquilibre. Il faut donc évaluer les risques avant de le donner.

Le coup de genou

Ce coup est extrêmement efficace dans les situations de défense rapprochée. L'impact a lieu au niveau de l'articulation du genou. Vous devez prendre, avec les mains, un appui au niveau du cou, des épaules ou des hanches de l'agresseur. Par la suite, vous remontez le genou tout en tirant très fortement l'assaillant vers vous, de façon à créer un fort impact.

Ce coup est principalement donné au niveau des parties génitales, des côtes ou bien de l'abdomen.

***

Il est clair que dans une situation de défense, il ne faut pas se limiter à une seule technique de frappe : vous devez être préparé à mettre en application plus d'un coup. Dans le langage des sports de combat, nous appelons ce principe l'enchaînement et les combinaisons.

L'enchaînement se définit comme une suite d'actions (des coups frappés) qui visent à utiliser tous les membres du corps, c'est-à-dire les deux mains et les deux jambes. Cela crée un défoulement physique intense. L'enchaînement est donc très important parce qu'il vous permet de créer l'effet de surprise chez votre agresseur. Il suscitera chez ce dernier un sentiment d'insécurité et de peur, car les coups frappés arriveront de toutes parts.

Le fait de rouer de coups votre agresseur provoquera chez lui une position de retrait qui vous permettra, dès que l'occasion se présentera, de vous sauver. Les chances qu'un agresseur tente de vous donner un coup lorsqu'il est lui-même attaqué sont très minces. La majorité des agressions où l'assaillant perd le contrôle de la situation se concluent par une fuite de sa part.

La fuite

Après de nombreux tests minutieusement effectués durant les séances de simulation d'agression, nous en sommes venus à la conclusion qu'il est important d'atteindre l'objectif suivant : créer une situation favorisant la fuite. La recherche d'une maîtrise totale (K.-O.) de l'agresseur pourrait se retourner contre vous, car il est peu probable que vous réussissiez à le mettre hors de combat. Toutefois, n'oubliez pas qu'en appliquant votre défense vous bénéficierez de l'effet de surprise. Une fois que vous aurez enchaîné quelques coups frappés, vous devrez donc prendre la fuite et aller vous réfugier.

Que faire après une agression?

À qui faire appel?

La police

Il est important de prendre connaissance de la procédure à suivre après avoir été agressé. Vous devez porter plainte à la police le plus rapidement possible, ce qui vous permettra, entre autres, de donner une description précise de l'agresseur. Appeler les forces policières est souvent l'objet de honte, mais vous devez franchir la barrière des préjugés et foncer.

Ensuite, vous pouvez raconter les événements en détail à un ami ; demandez-lui d'écrire avec précision ce que vous lui rapportez. Cette personne pourra vous accompagner au poste de police et vous servir de témoin à la cour.

Afin de faciliter les recherches qui mèneront à l'identification du ou des suspects, ne changez rien à votre état physique : vous ne devez ni vous laver, ni vous coiffer, ni vous changer. Lors de toute agression, le suspect laisse diverses traces : peau sous les ongles de la victime, sperme sur ses vêtements ou sur son corps, etc. De plus, les enquêteurs peuvent trouver des poils sur les vêtements ainsi que des empreintes digitales sur les différents objets et meubles de la pièce. Si l'attaque physique est survenue à votre domicile, essayez de ne rien toucher afin de faciliter le travail des policiers. Votre description de l'agresseur peut également aider les enquêteurs dans leurs investigations. Celle-ci devrait contenir le maximum de caractéristiques suivantes :

- *Cheveux*. Sont-ils raides ou frisés, longs ou courts ? Quelle est leur couleur ?
- *Peau*. Est-elle rude ou douce ? Montre-t-elle des taches de rousseur ou des cicatrices ?
- *Taches de naissance, cicatrices et tatouages*. Où sont-ils ? Que représentent-ils (animaux, croix, lettres, etc.) ?
- *Yeux*. De quelle couleur sont-ils ?
- *Dents*. Sont-elles brisées ? A-t-il des plombages, des broches ou bien des dents en or ?
- *Haleine*. Sent-elle la cigarette, l'alcool, les oignons, l'ail ?
- *Taille*. Quelle est sa taille par rapport à vous ou à un quelconque objet ?
- *Poids*. Quel est son poids approximatif ?
- *Morphologie*. Est-il obèse, maigre, musclé ?
- *Voix, débit et accent*. Sa voix est-elle aiguë ou grave ? Parle-t-il lentement ou rapidement ? A-t-il un accent quelconque ? Qu'a-t-il dit précisément et comment l'a-t-il dit ?
- *Nationalité*. Est-il de nationalité québécoise, canadienne-anglaise, jamaïcaine, asiatique, haïtienne, libanaise, etc. ?
- *Tenue vestimentaire*. Quels sont le style, la couleur et l'état de ses vêtements ?
- *Bijoux*. Porte-t-il une bague, une boucle d'oreille, un bracelet, une chaîne, une montre ? Remarquez leur couleur, les matériaux (or ou argent), le type de pierre précieuse, les gravures ou les initiales.

Les autres professionnels

Une grande gamme d'intervenants dans le domaine de la santé et des services sociaux sont très compétents. Ils ont l'expertise nécessaire pour ce genre de situations. Vous pouvez rencontrer des travailleurs sociaux, des psychologues, des sexologues et des médecins qui peuvent vous venir en aide immédiatement et plus tard. Au Québec, selon la loi, tous les hôpitaux doivent vous recevoir. Toutefois, dans les grandes villes, certains sont équipés de manière à pouvoir vous offrir une aide spécialisée. Lors de votre arrivée sur place, les intervenants devront vous traiter dans l'immédiat. Les médecins sont tous sensibilisés au sujet des mesures à suivre en cas de violence sexuelle. L'un d'eux vous informera du test médicolégal qu'il vous est possible de subir après tout acte physique violent. Toutes ces démarches vous permettront de trouver du soutien, mais également de découvrir les preuves nécessaires à l'inculpation des agresseurs.

De plus, n'hésitez pas, si vous en ressentez le besoin, à communiquer avec un centre d'aide aux victimes d'agression sexuelle. Les policiers sont en mesure de vous remettre les coordonnées d'un tel service. Cet organisme vous soutiendra afin que vous vous rétablissiez mentalement et physiquement.

La majorité du temps, les victimes pourront suivre une thérapie dont les coûts peuvent être assurés par la Direction de l'indemnisation des victimes d'actes criminels (IVAC). Toute personne ayant subi des blessures physiques ou émotionnelles à la suite d'un acte criminel (voies de fait, menaces ou autres) peut recevoir des prestations de l'IVAC. Elle doit cependant respecter le délai fixé pour faire sa réclamation, soit moins d'un an après l'agression. Notons que dans certains cas, ces montants doivent être remboursés par la suite.

L'aspect juridique

Le Code criminel canadien nous informe sur les notions de harcèlement criminel, de légitime défense, de voies de fait et d'agression sexuelle.

Harcèlement criminel

Article 264[2]

(1) Il est interdit, sauf autorisation légitime, d'agir à l'égard d'une personne sachant qu'elle se sent harcelée ou sans se soucier de ce qu'elle se sente harcelée si l'acte en question a pour effet de lui faire raisonnablement craindre – compte tenu du contexte – pour sa sécurité ou celle d'une de ses connaissances.

(2) Constitue un acte interdit, aux termes du paragraphe (1), le fait, selon le cas, de:

a) suivre cette personne ou une de ses connaissances de façon répétée;

b) communiquer de façon répétée, même indirectement, avec cette personne ou une de ses connaissances;

c) cerner ou surveiller sa maison d'habitation ou le lieu où cette personne ou une de ses connaissances réside, travaille, exerce son activité professionnelle ou se trouve;

2. Code criminel, janvier 1994, p. 174.

d) se comporter d'une manière menaçante à l'égard de cette personne ou d'un membre de sa famille.

(3) Quiconque commet une infraction au présent article est coupable:

a) soit d'un acte criminel passible d'un emprisonnement maximal de cinq ans;

b) soit d'une infraction punissable sur déclaration de culpabilité par procédure sommaire.

Légitime défense

Article 34[3]

(1) Toute personne illégalement attaquée sans provocation de sa part est fondée à employer la force qui est nécessaire pour repousser l'attaque si, en ce faisant, elle n'a pas l'intention de causer la mort ni des lésions corporelles graves.

Voies de fait

Article 265[4]

(1) Commet des voies de fait, ou se livre à une attaque ou à une agression, quiconque, selon le cas:

a) d'une manière intentionnelle, emploie la force, directement ou indirectement, contre une autre personne sans son consentement;

b) tente ou menace, par un acte ou un geste, d'employer la force contre une autre personne s'il est en mesure actuelle, ou s'il porte cette personne à croire, pour des motifs raisonnables, qu'il est alors en mesure actuelle d'accomplir son dessein;

---

3. Code criminel, janvier 1994, p. 28.
4. Code criminel, janvier 1994, p. 175.

c) en portant ostensiblement une arme ou une imitation, aborde ou importune une autre personne ou mendie.

Article 266[5]

Quiconque commet des voies de fait est coupable :

a) soit d'un acte criminel et passible d'un emprisonnement maximal de cinq ans ;

b) soit d'une infraction punissable sur déclaration de culpabilité par procédure sommaire.

Article 267

(2) Une lésion corporelle [...] désigne une blessure qui nuit à la santé ou au bien-être du plaignant et qui n'est pas de nature passagère ou sans importance.

Article 268[6]

(1) Commet des voies de fait graves quiconque blesse, mutile ou défigure le plaignant ou met sa vie en danger.

(2) Quiconque commet des voies de fait graves est coupable d'un acte criminel et passible d'un emprisonnement maximal de quatorze ans.

Agression sexuelle

Article 271[7]

(1) Quiconque commet une agression sexuelle est coupable :

a) soit d'un acte criminel et passible d'un emprisonnement maximal de dix ans ;

5. Code criminel, janvier 1994, p. 175.
6. Code criminel, janvier 1994, p. 176.
7. Code criminel, janvier 1994, p. 176.

b) soit d'une infraction punissable sur déclaration de culpabilité par procédure sommaire.

Article 273[8]

(1) Commet une agression sexuelle grave quiconque, en commettant une agression sexuelle, blesse, mutile ou défigure le plaignant ou met sa vie en danger.

(2) Quiconque commet une agression sexuelle grave est coupable d'un acte criminel et passible de l'emprisonnement à perpétuité.

Article 273.2[9]

Ne constitue pas un moyen de défense contre une accusation fondée sur les articles 271, 272 ou 273, le fait que l'accusé croyait que le plaignant avait consenti à l'activité à l'origine de l'accusation lorsque, selon le cas :

(a) cette croyance provient :

(i) soit de l'affaiblissement volontaire de ses facultés,

(ii) soit de son insouciance ou d'un aveuglement volontaire ;

(b) il n'a pas pris les mesures raisonnables, dans les circonstances dont il avait alors connaissance, pour s'assurer du consentement.

8. Code criminel, janvier 1994, p. 178.
9. Code criminel, janvier 1994, p. 178.

Les séquelles psychologiques

Selon Statistique Canada, neuf agressions sur dix laissent des séquelles psychologiques. Les victimes d'une situation marquante ont peur de revivre un tel événement.

Selon les femmes victimes d'agression verbale ou physique auxquelles nous avons enseigné, le plus difficile à oublier est généralement le regard terrifiant de l'agresseur, qu'elles ont revu par la suite dans des cauchemars récurrents.

Il est important de parler de ces séquelles à des personnes-ressources, par exemple un spécialiste de la santé et des services sociaux, ainsi qu'à ses amis et à sa famille. Une personne victime d'agression doit s'entourer des gens qu'elle aime et faire preuve d'une grande patience. Le temps est un bon moyen pour atténuer et guérir les blessures de ce genre.

L'état psychologique d'une personne changera après tout acte violent. Il peut arriver qu'une femme violentée s'isole et remette en question ses sentiments à l'égard des hommes. La victime passera généralement par trois phases distinctes : une phase aiguë de choc (peur non contrôlée, panique) au cours de laquelle elle revit l'événement ; une deuxième phase où elle tente d'oublier ce qui lui est arrivé et s'obstine à ne pas en parler ; puis une dernière phase durant laquelle elle réalise l'importance de se confier. C'est à ce stade qu'elle pourra commencer à reprendre le cours normal de sa vie. Il faut donc prendre conscience qu'une personne agressée physiquement doit persister et lutter jusqu'au bout pour enfin retrouver son équilibre psychologique.

Une victime de violence souffre généralement d'insomnie, de nausées nocturnes, de perte d'appétit et de cauchemars à répétition. Malheureusement, nous ne pouvons savoir d'avance comment elle réagira. Les symptômes peuvent durer des semaines, quelques mois, voire plusieurs années. Toutefois, le soutien immédiat (famille et amis), l'approche utilisée par les professionnels de la santé et des services sociaux ainsi que celle des policiers réduiront le temps de rétablissement. Dans la plupart des cas, les proches ne savent pas comment réagir avec la victime. Ils ont tendance à la surprotéger et à lui donner trop d'attention. Il est donc fortement recommandé de rencontrer un spécialiste pour bien connaître l'approche psychologique à adopter dans un tel cas.

L'agression physique subie sera également très difficile à surmonter pour le conjoint. La relation ne connaîtra plus le même équilibre : faire l'amour dégoûtera peut-être la victime et son conjoint se sentira rejeté. Pourtant, elle a un réel besoin de l'être aimé à ses côtés. Le partenaire devra ajuster les rapports entre eux et modifier son approche menant aux relations sexuelles.

Ne jamais se sentir coupable

À la suite d'une agression, la victime croit souvent qu'elle en a été, d'une façon ou d'une autre, l'instigatrice, qu'elle a peut-être provoqué l'agresseur. En fait, elle ne doit pas s'en faire : elle n'est en aucun cas responsable des événements vécus. Lorsqu'un agresseur décide de s'en prendre à une femme, par exemple, toutes les raisons sont valables pour lui : elle porte des souliers à talons hauts, des souliers de course, des bas-culottes, une jupe, un jeans, ou encore elle le regarde d'une façon qu'il croit provocante.

Pour lui, toutes les raisons sont bonnes, et selon lui, elle le désire d'une façon ou d'une autre. L'important est de réaliser que c'est lui qui a un problème, pas vous. L'agresseur ne fait que chercher une justification en faisant retomber le blâme sur vous. Dites-vous que l'agression est un acte volontaire de sa part ; il tente de se justifier pour oublier les vraies raisons qui le poussent à agir ainsi, c'est-à-dire le contrôle, le pouvoir et la domination.

Conclusion

Nous sommes heureux de vous avoir fait connaître notre programme de sécurité. Maintenant, il n'en tient qu'à vous d'appliquer les règles de prévention. Vous êtes désormais en mesure d'informer, d'éduquer et de sensibiliser vos proches en ce qui a trait à leur sécurité.

Nous vous recommandons fortement de maintenir votre condition physique, car une fois bien entraîné, il vous sera plus facile de vous défendre.

Afin de parfaire votre entraînement physique, nous vous conseillons la pratique d'un sport de combat. Profitez de l'approche unique et professionnelle du Groupe Karaté Sportif (karatesportif.com ; 450 689-7011).

Vous pouvez également assister à un atelier de simulation d'agression ou à la conférence *100 % je me défends !* offerte par ASADéfense (asadefense.com ; 1 800 680-7011).

Si vous demeurez en région, il vous est possible de vous procurer le DVD de la conférence ainsi que le porte-clés de défense.

Félicitations ! Vous venez de prioriser votre sécurité, vous serez récompensé en ressentant une plus grande liberté.

Table des matières

Prévenir les agressions

Se défendre contre les agressions

Que faire après une agression?